P9-DVH-753

Mesa
$ 15.95

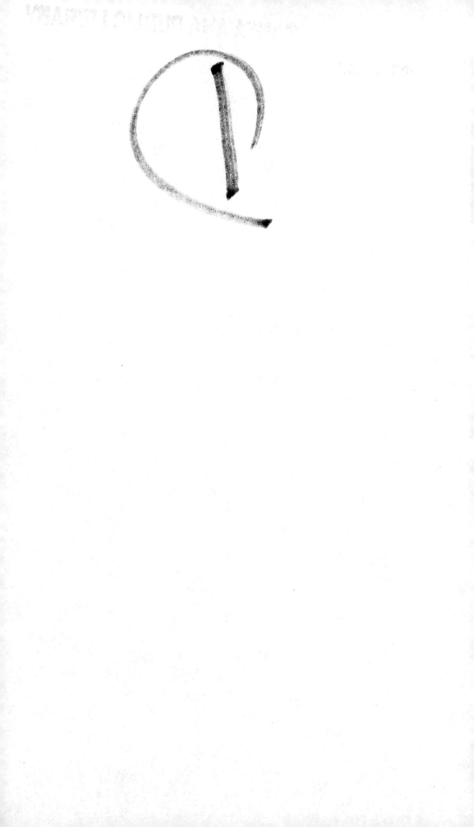

Un incendio invisible

Sara Mesa

Un incendio
invisible

EDITORIAL ANAGRAMA
BARCELONA

Ilustración: © Pablo Gallo

Primera edición: febrero 2017

Diseño de la colección: Julio Vivas y Estudio A

© Sara Mesa, 2011, 2017

© EDITORIAL ANAGRAMA, S. A., 2017
  Pedró de la Creu, 58
  08034 Barcelona

ISBN: 978-84-339-9828-6
Depósito Legal: B. 1145-2017

Printed in Spain

Reinbook serveis gràfics, sl, passeig Sanllehy, 23
08213 Polinyà

Una ciudad se derrite lentamente
como carcomida por un incendio invisible

JUAN EDUARDO CIRLOT,
80 sueños

Oh, the motor city's burnin'
It ain't no thing in the world that I can do
Don't ya know
Don't ya know the big D is burnin'?
Ain't no thing in the world that Johnny can do
My home town burnin' down to the ground
Worser than Viet Nam

JOHN LEE HOOKER,
«The Motor City is Burning»

NOTA A LA NUEVA EDICIÓN

Esta novela fue publicada por primera vez en 2011. Desde entonces, he escrito otras dos novelas y una veintena de cuentos. Han sido cinco años fructíferos en los que, lógicamente, mi escritura ha evolucionado.

Sin embargo, el concepto de *evolución* no ha de ser asociado necesariamente al de *progreso:* cada libro es una estampa fija que refleja el momento en que se escribió y esta estampa es, o debe ser, por su naturaleza, inamovible.

Con todo, en la presente reedición he realizado algunos cambios –probablemente imperceptibles para el lector, pero no para mí–, que no alteran en lo más mínimo el espíritu de la novela, su sentido, sus personajes, su estructura ni su lenguaje.

Los cambios, como digo, son producto de una reflexión lectora –o relectora– y se vinculan más bien con la concepción de la escritura que me he ido forjando en los últimos años. Quizá ni siquiera necesitarían ser explicados, puesto que en su primera versión esta novela apenas consiguió lectores. No obstante, no me resisto a poner algún ejemplo.

Así, en un principio, el protagonista doctor Tejada tenía el labio leporino. Este y otros rasgos físicos que pretendían remarcar negativamente a los personajes —rasgos de enfermedad, de vejez o de abandono— han sido suprimidos o atenuados. Pienso que la degradación y la excentricidad de la ciudad de Vado y de las criaturas que la habitan han de emanar de una raíz de normalidad, aunque esta normalidad sea tan terrible y desconcertante como la que rodeó el proceso de despoblación de Detroit, fenómeno en el que me inspiré —en parte, y muy libremente— para escribir este libro.

A pesar de todo, la historia que aquí se narra no tiene pretensiones de verosimilitud, camina constantemente en los límites de lo admisible y, en su dimensión distópica, se emparenta con *Cuatro por cuatro,* novela que, en contraste con el geriátrico New Life de *Un incendio invisible,* transcurre en un internado escolar. Como en *Cuatro por cuatro,* aquí se habla de maldad, incomunicación y egoísmo, de desigualdad y miedo, de soledad y encierro. No puede ser por tanto un libro misericordioso ni clemente. Pero precisamente por ello, creo necesaria cierta contención. De ahí que también haya pulido —tratando de no modificar el estilo inicial— algunos excesos retóricos.

Por último, el feísmo y la crueldad de ciertos momentos de la trama han sido suavizados no debido a un hipócrita impulso benevolente, sino a la mayor compasión que siento ahora por mis personajes, en el convencimiento además de que tratarlos con respeto los hace más humanos y, quizá, más creíbles.

Nunca releo mis libros una vez publicados. Una mezcla de pudor, cansancio y desazón –por no poder ya modificarlos– me impide hacerlo. Esta vez, sin embargo, la experiencia de relectura me ha resultado grata y sorprendente. Sin yo ser consciente de ello, he comprobado que en esta novela anida la semilla de los temas que desarrollaría más tarde, motivos recurrentes en mis obras que aparecieron aquí por vez primera: la ciudad de Cárdenas, la llegada de un foráneo a un mundo desconocido y hermético, la salvación –o pérdida– de un perro, la paternidad –o maternidad– encarnada en un maniquí, los centros comerciales como representación del caos, el amor desigual y perverso, la ambigüedad de las relaciones entre adultos y niños, el poder y sus abusos.

Es por esto por lo que siento esta novela tan cercana y a la vez tan enigmática. Volverla a publicar es un regalo que agradezco a mi editorial y que me produce la extraña y feliz sensación de un reencuentro.

S. M.

1. LA LLEGADA

A unos veinte kilómetros del centro de Vado, una vez enfilada la flamante autopista de Cárdenas, todavía podían verse los últimos barrios periféricos: casitas adosadas, urbanizaciones a medio construir, solares roturados y, más allá, los bloques terrosos de Bocamanga y de Pozolán. Mirado desde el coche, el paisaje carecía por completo de vida. Sólo de vez en cuando, entre las nubes deshilachadas, se distinguía una pareja de milanos volando con desgana a media altura. Un par de coches y un camión de pollos sin pollos cruzaron por uno de los carriles opuestos. Pudo oírse un graznido, pero no se supo de quién.

Las afueras de Vado, anunció el taxista mirando hacia delante, ni más ni menos como las de todas las demás ciudades del mundo. Hoy nadie lo diría, continuó, pero aquéllos habían sido barrios normales, incluso más limpios y modernos de lo habitual, con gente más feliz y tranquila que en el resto de los sitios.

Vado siempre había sido un buen lugar para vivir, añadió entrecerrando los ojos; eso era indiscutible.

Un conjunto de chalés de color rojo pasó como una ráfaga a través de las ventanillas. A pesar de la velocidad, Tejada se dio cuenta de que todos estaban deshabitados. La voz del taxista retumbaba en el interior del coche. Desde el asiento trasero, Tejada sólo veía su nuca humedecida por el calor. Quizá esperaba alguna respuesta, pero Tejada permaneció con la mirada clavada en el salpicadero, sin romper su mutismo. El peso de aquel cielo blanquecino, como recién lavado en agua sucia, los inmovilizaba sobre la grisura del alquitrán. El taxista cerró los puños y aceleró. El silencio entre ambos comenzó a hacerse incómodo.

Avanzaron varios kilómetros más por la carretera vacía, flanqueada por una zona de naves industriales y almacenes de venta al por mayor. Los bordes de la autopista estaban desbordados por rastrojos. Las adelfas de la mediana habían crecido tanto que invadían parte de los carriles. Todo continuaba insólitamente despoblado. Tejada apretó los labios y no preguntó nada.

Para llegar a la residencia, anunció el taxista, había que coger el siguiente desvío y después cruzar Nuevo Vado, una descomunal área de servicio diseñada como réplica comercial de las calles del centro del auténtico Vado. La imitación copiaba el trazado y la arquitectura original, incluidos los edificios más antiguos –el ayuntamiento, la biblioteca central, el museo de historia natural, la iglesia de San Lázaro–, al modo postizo de la Venecia de Las Vegas. Tan sólo

14

un año antes, tiendas, restaurantes, parques de atracciones y hasta un casino –ahora ya cerrado– habían sido el entretenimiento de familias que hacían cola en el coche hasta encontrar una plaza de aparcamiento. Dos líneas gratuitas de autobuses y un tren de cercanías llegaban también hasta allí, atestados de adolescentes, amas de casa y jubilados ociosos. Pero eso era antes, suspiró el taxista mirando a Tejada por el retrovisor. Ahora únicamente se veían algunos coches dispersos y dos o tres camiones que traían –o quizá se llevaban– mercancía sin vender.

Giraron hacia una vía de servicio flanqueada de álamos. El taxi disminuyó la velocidad, como resistiéndose, hasta que en la distancia comenzaron a perfilarse las construcciones de la residencia. Tejada se bajó y vio los tres grandes edificios formando una C, las placas solares reverberando bajo la luz declinante de la tarde, las parcelas secas, una piscina semiolímpica sin agua. La sombra cubría la mitad del edificio principal, resaltando sus aleros y sus fuertes pilares. Bien, se dijo Tejada, aquí estoy. Pagó al taxista y se encaminó hacia la verja, arrastrando tras él sus dos viejas maletas.

El viejo estaba sentado en una mecedora de ratán con sucios colchoncillos en el asiento y el respaldo. Sostenía con firmeza su bastón y se balanceaba con la mirada perdida en el horizonte, los ojos acuosos. Tras él, una de las cámaras de videovigilancia colgaba despedazada. Los jardines estaban tomados por la maleza; varios gatos salvajes dormitaban bajo los arbustos. La cabeza pelada le escocía por el sol.

–Salud, Viejo –dijo la Clueca al pasar en su silla de ruedas, y le guiñó un ojo obscenamente.

La silla de ruedas dejó tras de sí una nube de polvo. Maldiciente y rencorosa, la Clueca se agarraba a ella con furia y giraba sus ruedas entre bufidos. A veces, confundía las cosas y se insinuaba con impudicia a cualquiera, contoneando el torso hacia delante. Intentaba seducir a sus compañeros, a las enfermeras, a cualquiera que se cruzara ante su silla. Con las faldas arremolinadas, reía para sí misma con lascivia.

El Viejo, meneando a un lado y otro la cabeza, la miró alejarse por el senderillo de grava.

–Ustedes siguen riendo, bailando, bebiendo y fornicando, pero el Ojo sabio ya anuncia lo que se nos avecina. ¿Para qué tanta cabina de hidromasaje, tanta sala de terapia, tanta cortina *igifuga?* Los buitres van a venir lo mismo, nos sacarán los ojos, arderá todo este edificio y nos retorceremos entre las llamas. Y sólo quedarán los cuervos y los *murciégalos.*

Las frases del Viejo eran hinchadas, solemnes. Estaba ahora chillando.

–¡Eh, Clueca, eh! Pensaste cuando joven que seguirías así eternamente, pensaste que siempre tendrías los hombres a tus pies y que tus hijos bendecirían la mesa que ponían para ti. Creíste que el mundo entero estaba a tu servicio, que eras la emperatriz eterna, con tus joyas de oro y de plata. Ah, Clueca, ¡qué poco te queda ahora para sufrir los *padicimientos* más terribles, las plagas de langostas, las moscas en los ojos, las hormigas entrando en las orejas! Mírate ahora, mírate y verás lo que el tiempo ha hecho de ti: ¡ahí estás, condenada por siempre a tu silla de hierro, pegada sin remedio a tu culo apestoso! ¡Eh, Clueca! ¿Ni siquiera eres capaz de contestarme?

Una enfermera morena, de mirada huidiza, se acercó muy despacio hasta el Viejo. Lo tomó de las axilas y lo levantó casi sin esfuerzo, como un trapo. El Viejo se resistió, maldijo, sacudió el bastón y permaneció con las rodillas flexionadas, negándose a caminar.

—¡Me quitarán el sitio si me voy! —gritó—. ¡No pienso moverme!

—¡Oh, vamos! —contestó ella cansadamente—, le daré un colacao si se porta bien.

Al Viejo le brillaron los ojos. Aflojando el cuerpo, se dejó llevar a trompicones hasta el edificio lateral. Allí dobló la esquina y desapareció. Empezaba a caer la tarde y el patio se llenaba poco a poco de ancianos. La mecedora de ratán fue pronto ocupada por una vieja que se meció plácidamente hasta quedar dormida.

En otros tiempos, New Life había sido la residencia de ancianos más grande y más lujosa de todo Vado. En sus folletos promocionales se destacaba —con colores brillantes y un buen número de mayúsculas— la primicia de las parcelas Bioclimáticas y las zonas de Microclima de Confort, toda esa variedad de fuentes, aspersores y vegetación exótica que Tejada nunca llegó a conocer. En total —dijo el alcalde durante la inauguración– había más de cuatro hectáreas de jardines, decorados con arces japoneses, mirtos, cerezos, bambúes y senderos de guijarros sobre los que maullaban gatazos indolentes. Ahora, sin embargo, justo cuando más azotaba el calor, todos los aspersores estaban secos, o rotos, con un rumor como de agua por dentro que nunca se decidía a brotar del todo. La mayoría de los viejos sólo se atrevía a salir cuando el sol descendía, avanzando con sus muletas y sus andadores, jadeantes, con las venas sobresaliendo de sus cuellos y la nariz dilatada en el esfuerzo. Bajo la luz caída y amarillenta, todas las tardes a la misma hora los jardines de New Life –ahora ásperos y desapacibles– se poblaban de un resentimiento enconado. Los doce jardineros y tres paisajistas que tan sólo un año atrás regaban las plantas y podaban ramitas con delicadeza se habían marchado sin dar explicaciones, y ahora era un enfermero alcohólico, desposeído de su título, quien vagaba por los caminos con unas tijeras en las manos, cortando aquí y allá distraídamente.

Fue este enfermero, Catalino Fernández, el que recibió a Tejada cuando llegó. En realidad, ni siquiera fue un recibimiento. En los recuerdos de Tejada permanecería más adelante algo así como un saludo frío y un par de preguntas que ya entonces le parecieron sin sentido.

–¿Duerme bien por las noches? ¿Cree que la residencia seguirá abierta para Navidad?

Tejada soltó sus maletas en el suelo y resopló mirando alrededor. A lo lejos, una anciana –posiblemente la Clueca– se abanicaba sin parar de reír.

—Mire, hijo, yo acabo de llegar y no sé nada.

Catalino le refirió algo que había escuchado días antes en la televisión. Algo sobre «terremotos internos» alojados en el corazón de los «hombres inquietos». Tejada le olfateó el aliento.

—Uno nunca puede dormir tranquilo, ¿sabe? —susurró el enfermero—. Cuando menos lo esperas, te dan la puñalada trapera. De quien menos la esperas. De tu vecino. De tu compañero de habitación. ¡De tu mujer! Nunca se sabe por dónde vendrá, pero vendrá.

Un soplo de aire caliente arremolinó los cabellos de Tejada, pegajosos del viaje. Carraspeó con impaciencia y se recolocó los pantalones.

—¿Para qué ha venido aquí? —insistió Catalino alzando una de las maletas.

Tejada no contestó. No estaba de humor para dar explicaciones. De momento, quería sólo dejar el equipaje, tomar una ducha y beberse una cerveza sin importarle qué demonios estaba pasando en aquella ciudad asfixiante, cuya población huía en masa como en la leyenda de los lemmings.

En las aguas del río que cruza Vado podían encontrarse los desechos más variados. La niña se quitaba las zapatillas de lona para acercarse a la orilla y rastreaba en busca de los objetos que otros no quisieron. Ella no los consideraba desechos, sino tesoros que almacenaba en lo que llamaba su cueva secreta —en realidad, la oquedad de una vieja tubería por la que ya hacía algún tiempo que no se vertía nada–. La niña caminaba hasta el puerto todas las tardes aprovechando las ausencias del padre e intentaba ganarse la confianza de un galgo que paraba por allí y al que había puesto por nombre Tifón. A Tifón debían de haberle pegado mucho y fuerte, porque se mantenía retirado, a una distancia más que prudente para la amenaza que podía suponer una niña de no más de nueve años. A veces, ella le llevaba pedazos de pan y salchichas, pero Tifón no se movía, únicamente su mirada se hacía más oblicua, más tensa, y el hocico le temblaba, afilado. La niña terminaba dejando en el suelo la comida y sólo cuando se marchaba, sin mirar atrás para no espantarlo, el perro se atrevía a acercarse y masticaba lentamente.

Desde que empezó sus excursiones por el río, había guardado en la tubería una bailarina de Lladró sin brazos, un pollo de plástico, un despertador que aún funcionaba, un Ken sin Barbie, una alfombrilla para el ratón del ordenador con dibujos de osos y corazones, un bote de Pringles con su tapa en el que coleccionaba piedrecillas. Todos sus tesoros los había conseguido con mucha paciencia y no poca suerte. Sólo servían los del río; ella jamás cogería nada del suelo ni de los contenedores. Los tesoros vienen del agua, le explicaba a Tifón, de islas lejanas y misteriosas. Tras un largo viaje, llegan hasta la orilla arrastrados por la corriente y entonces son de quien primero los encuentra.

Tenía que bajar con cuidado de no resbalarse. Las escaleras de piedra y las pasarelas que en otro tiempo conducían a las embarcaciones de recreo estaban ahora cubiertas de verdín. Avanzaba lentamente, descalza, e intentaba atraer con un palo sus presas.

—Niña —le advirtió un día una mujer muy maquillada, con sombras púrpuras bajo los ojos—, tú no deberías estar aquí. Puedes pillar una infección. ¿Es que no tienes zapatos?

La niña fingió no entender. Se recogió un mechón detrás de la oreja y se quedó mirándola hasta que la mujer, encogiendo los hombros, se dio la vuelta y se alejó en dirección a Bocamanga. Desde allí se intuía la línea de los bloques de pisos, con sus antenas parabólicas que ya no captaban ninguna señal, un horizonte brumoso y poco prometedor. La niña suspiró y se acuclilló a varios metros de Tifón, churretosa, expectante, casi feliz de tanta soledad.

Tejada esperó en la puerta más de veinte minutos, contemplando a través de la ventana los jardines vacíos a la hora del sol, invadidos por el persistente canto de las chicharras. Desde arriba se veían con mayor claridad los estragos de la falta de agua: grandes calvas de césped se extendían a uno y otro lado, como un eccema en la piel de la tierra. En algunos rincones el viento había acumulado hojas secas, papelotes y bolsas de plástico. Catalino Fernández, con sus andares displicentes, los ensartaba con lentitud en un pincho. De pronto, el enfermero defenestrado levantó la cabeza y miró hacia la ventana. Tejada volvió el rostro bruscamente.

La silueta del doctor Carvajal había estado paseándose tras los cristales esmerilados de la puerta desde que Tejada se sentó a esperarlo en un sillón de piel. Tejada metía las uñas en las heridas de espuma de los reposabrazos mientras lo escuchaba hablar por su móvil. Conversaba con alguien que parecía muy importante para él. *No quiero que pienses eso de mí,* había gritado varias veces, y también, *ya te he dicho que te pido perdón.*

–Lo tienes difícil, viejo, con esa voz –murmuró Tejada para sí.

Luego lo oyó despedirse y la puerta se abrió dejando a la vista el despacho, una estancia inundada de la misma atmósfera crepuscular que el resto de las instalaciones de New Life. En una esquina se alzaba un tótem indio con su mirada torva. El rostro del doctor Carvajal contrastaba con la tosquedad de la talla: los labios sensuales, la piel rosada, los ojos muy azules y redondos, surcados de venitas. Tendió la mano a Tejada y se quedó observándolo durante un rato sin soltársela, sacudiendo levemente su brazo.

–¿Doctor Tejada, supongo? –preguntó con un guiño.

–Bueno, no vengo precisamente de misiones –dijo él con sequedad.

–¿Ah, no? –rió el doctor Carvajal–. Cualquiera diría que sí. Justo cuando todo el mundo se va, viene usted. Y además, voluntariamente.

–No vengo voluntariamente.

–¿No? –Carvajal pareció desconcertado. Dio la vuelta hacia su mesa y cogió unos papeles al azar, bizqueando–. Bueno, no conozco sus circunstancias personales, pero sé que usted mismo pidió el puesto y, si no me equivoco, también pidió la incorporación inmediata.

–No, no se equivoca.

–¿Le costó trabajo dar con esto? –El doctor Carvajal sonrió–. Llegar aquí no es fácil.

Tejada le explicó que había cogido un taxi desde la estación central de Vado. El taxista había descrito bien aquella zona. Había sido un taxista locuaz.

–Así que llegó en taxi ayer –repitió Carvajal–. Largo camino y mejor panorama. ¿Por qué no vino a verme de inmediato?

–Era casi de noche. Me dijeron que ya se había marchado.

–Oh, claro... Cierto, cierto. Entonces, ¿se alojó usted aquí? Puede quedarse todo el tiempo que quiera, ¿eh?, sin ningún problema. El ala norte es la única en la que todavía tenemos residentes. Las demás han quedado desocupadas. Puede tomar cualquiera de esas habitaciones para usted. Las del ala sur son bastante tranquilas. Desde allí se ve la zona de Nuevo Vado, la campiña y, al final, de lejos, el río. No está mal.

No, nada mal. Tejada dijo que ya conocía las espléndidas vistas del ala sur. Un tal Catalino Fernández lo había recibido la tarde anterior y le había conducido a una de las habitaciones. Comodísimas, en efecto. Con todo, añadió, prefería irse a vivir a la ciudad.

–Como guste. –Carvajal se rascó la cabeza–. Pero no tiene coche, ¿verdad? Hoy día en Vado las comunicaciones son un desastre. Casi todas las líneas de trenes y autobuses están cortadas. Por suerte, sigue funcionando el tren que cruza el río y llega hasta aquí. La parada está a poco más de diez minutos. Eso sí, busque su alojamiento cerca de la estación; ahorrará mucho tiempo. Aquí su horario será más bien... exhaustivo. Les va a hacer mucha falta.

–¿Usted cuándo se marcha? –preguntó Tejada.

Lo miró de reojo, sin encararlo. La pregunta quedó flotando unos instantes entre ellos mientras Carvajal se balanceaba pensativo con las manos metidas en los bolsillos. No más de una semana, dijo al fin, y se iría para siempre. Pero no debía preocuparse, matizó cambiando el tono, aún quedaban algunos días en los que trabajarían juntos, codo con codo. Habría tiempo sobrado para informarle acerca del estado real de la residencia. Alzó las cejas y preguntó:

–¿Puedo ser sincero?

Tejada asintió.

–Bien. Le confesaré algo. La situación aquí no es la más adecuada.

–No me diga.

Carvajal cogió aire y le contó que hasta hacía muy poco trabajar en New Life había sido envidiable. Contaban con todos los recursos y facilidades, la única obligación de un jefe de geriatría era coordinar las tareas del personal y dar la cara ante Sanidad. Todo lo demás iba rodado.

–No olvide que New Life es una residencia con participación pública. Aunque hoy día la cosa ha cambiado por completo.

24

En realidad, reconoció, el panorama se podía resumir en un número: treinta y ocho. Ésos eran los residentes que quedaban, y la mayoría de ellos habían sido abandonados. Las familias desaparecieron de un día para otro sin pagar las cuotas. ¿Qué podían hacer ellos? Las deudas se acumulaban, los médicos y enfermeros también se estaban marchando y los pocos que quedaban tampoco andaban contentos: mucho trabajo que hacer y la incertidumbre de no saber hasta cuándo podría mantenerse aquella farsa.

–No sea demasiado duro con ellos –le pidió–. Cobran poco y tarde. Imagino que también calculan cuándo les llegará su turno.

Tejada iba a contestar, pero Carvajal le interrumpió con una sonrisa.

–No quiero transmitirle una mala sensación –dijo–. Es cierto que hay descontrol, pero dónde no. Sanidad ha dejado de financiarnos, al menos hasta nuevo aviso. Alegan que se incumplieron los compromisos, lo cual es verdad, al menos desde su perspectiva. Los accionistas también han dejado esto a su suerte y el personal ha tenido que tomar el timón por sí mismo. Pero el lado bueno es que todo conduce a una situación excepcional. Excepcional, repito. Una situación de cambio. Con tan pocos residentes, New Life puede reconducirse y hacerse otra vez manejable. Todos nos conocemos y ayudamos. Se trata de tomar algunas medidas y convencer al consejero de que merece la pena reflotar esto. No crea que no le faltan ganas, en su última reunión aseguró que New Life estaba entre sus prioridades. Y, para entonces, usted será el jefe de todo. Usted tendrá la suerte de dirigir ese renacimiento. Usted podrá disfrutarlo, porque yo no estaré. Cuando lo pienso, no crea que no lamento mi marcha.

Tejada se esforzó por concentrar en su mirada todo el desinterés del mundo. Puro cinismo, pensó, y entonces sonó el móvil de Carvajal con la misma sintonía que había usado Elena unos meses atrás. Tejada sintió una aguda incisión en el estómago.

Elena.

El doctor Carvajal le pidió con un gesto que se marchara. Una conversación privada, añadió ante la turbación de Tejada. De lejos se oyó el penetrante ulular de una sirena de alarma. Quizá alguno de los viejos había hecho una locura, quizá se había producido algún asalto, quizá alguien estaba a punto de morirse, o había muerto ya. Tejada salió lentamente, cerró la puerta con cuidado y se apretó el pecho, dolorido.

En la sala de estar de New Life tres ancianas apoltronadas en un sofá veían el capítulo doscientos y pico de *Acorralada*. Fedora había salido al fin de la cárcel, tras años encerrada por culpa de las pérfidas intrigas de Octavia Irazábal, la mujer que le arrebató a sus hijas. Las ancianas roían pipas de girasol y temblaban imaginando la venganza. Unos metros más allá, la Clueca permanecía sentada en su silla de ruedas, abrazando su peluche interactivo, un elefantito al que llamaba Pérez. A voces, afirmó estar al lado de Octavia. Las otras la hicieron callar.

—¡No te enteras de nada, Clueca! ¡Octavia es la mala! ¡Vete con los asistidos! ¡Esto no es para ti!

La zona de asistidos, con todo su utillaje ortopédico de sillas mecanizadas, andadores y agarraderos, estaba separada por un panel modular y una pila de cajas de cartón. Ariché, la enfermera personal de la Clueca, buscaba una manta eléctrica entre las cajas. Alzó la cabeza y protestó.

—¿Creen que no las he oído? ¿En qué les molesta a ustedes la Clueca?

—En muchas cosas —contestó una de ellas—. Los autónomos no tenemos por qué ver las babas ni oler las cacas de los asistidos. No pagamos para eso.

Ariché no se paró a responder. Siguió rebuscando hasta que encontró la manta, se la colocó a la Clueca en las lumbares y se marchó corriendo a otros asuntos. Durante unos minutos sólo se oyó el runrún del televisor y el piar de un jilguero que saltaba de un barrote a otro de su jaula.

—Ha venido un médico nuevo —anunció una de las ancianas cuando empezó la publicidad.

—El sustituto del doctor Carvajal —afirmó otra.

—¡Doctor Carcamal, doctor Carcamal, doctor Carcamal! —canturreó la Clueca.

—¡Bah, Clueca, cállate de una vez! —gritaron todas.

Después hablaron de las bondades de Carvajal. Nada sería igual sin él, suspiraron al unísono. A una le había quitado los dolores de la pierna. A otra le curó la bronquitis. A la tercera le puso una dieta personalizada que le mantenía a raya el colesterol. Un médico excelente, concluyeron; no entendían por qué tenía que marcharse ahora, cuando ya se habían acostumbrado a él. Suspiraron de nuevo, chuperreteando las cáscaras de las pipas.

Tras la publicidad, la bellísima Fedora se reencontró con su hija Diana, una pobre enfermera ignorante de sus nobles orígenes. Diana parpadeó con sus ojazos intensos sin reconocer a su madre. El diálogo entre ellas fue tenso, emotivo, exagerado. Las ancianas callaron con el corazón en vilo. La Clueca giró las ruedas de su silla y se aproximó lentamente a la pantalla.

—Diana —susurró—, eres la enfermera más guapa de toda la residencia.

Las tres ancianas rieron. La Clueca hizo caso omiso y prosiguió:

—Diana, bonita, ¿sabes que puedo ver a Dios en el plato de sopa? Es tan, tan guapo, tiene unos ojos tan, tan azules y una barba tan arregladita que es una gloria verlo, a mi Dios bendito. Mira, Diana, te explicaré cómo lo hago. Me concentro en el fondo del plato, despacito, muy despacito. Miro y miro y miro y empieza a formarse la cara de mi Dios bendito. Se ve tan clarito, cómo va saliendo hacia arriba, y se queda así, flotando en el centro, y me dice Clueca preciosa, y me llena de paz, una paz infinita, Diana. Y le rezo a la Virgen santísima, que parió a ese Dios bonito.

Las carcajadas se hicieron más fuertes. Las ancianas reían golpeando las piernas con las palmas de las manos. Las lágrimas les caían por las mejillas mientras en el televisor madre e hija se abrazaban hipando de emoción.

–*¡Octavia ha de salir inmediatamente de esa casa!* –suplicaba Fedora en un primerísimo plano–. *No puedo decirte la razón, pero tiene que irse cuanto antes. ¡Es un peligro para todos! ¡Es una amenaza! ¡Ella es mala, mala, mala...!*

–¡Eso es! ¡Que se vaya! –suscribió la Clueca imprecando a la pantalla–. ¡No puede quedarse aquí ni un minuto más! ¡Díselo, Fedora! ¡Díselo ya! ¡Dile que se vaya, que tiene que irse! ¡Dile al médico nuevo, a ese que ha llegado, dile que se vaya ahora mismo! ¡Es una amenaza! ¡Es malo, malo, malo...! ¡No es de fiar!

La Clueca gritó y lloró y las ancianas rieron como locas. El jilguero se alborotó chocándose contra los barrotes de su jaula. Diana y Fedora se abrazaron, se prometieron que nunca nadie más podría separarlas. Entonces abrió la puerta la cansada Ariché, miró alrededor y se llevó a la Clueca empujando la silla con esfuerzo. Tras ella quedó el silencio de las risas contenidas. Los títulos de crédito dieron paso después a los anuncios de friegasuelos, quesitos light y compresas para tanga. Las tres ancianas lo comentaron todo debidamente hasta que terminaron sus paquetes de pipas y se lamieron los labios, secos de tanta sal.

Tejada colocó las maletas en un asiento desocupado. Contó a cinco personas: dos sudamericanas –posiblemente hermanas– que dormían con las cabezas juntas, un adolescente con auriculares, un hombre enchaquetado y, al fondo, una mujer muy rubia con los labios pintados de rojo y el escote marchito. Si alguna vez hubo aire acondicionado en los vagones parecía haber dejado de funcionar hacía tiempo: allí se cocía un calor de siglos. Tejada se secó el sudor con un pañuelo y se sentó al lado de las maletas, junto a la ventanilla. Con la cabeza apoyada en el cristal, vio deslizarse el centro comercial con su aparcamiento vacío, un polígono industrial con las naves cerradas, un desguace de coches y un rebaño de cabras pastando entre la basura –aunque no vio ni perro ni pastor–. A lo largo de todo el trayecto no subió ni bajó nadie, pero el tren se detuvo en todas sus estaciones. El sonido de las puertas abriéndose y cerrándose era aletargante. Tejada estaba adormilándose cuando oyó una voz a su lado, estridente y ansiosa.

–¿Hay sitio por aquí? –La mujer de los labios rojos adelantó su cabeza hacia Tejada, sin sonreír.

Tejada puso el equipaje bajo sus pies y le ofreció el asiento libre.

–Parece muy cansado –dijo ella mirando las maletas.

–Pues sí.

Se hizo un silencio. La mujer respiraba con dificultad. Tejada oía sus jadeos sin dejar de mirar hacia el frente. Nada que me entretenga, se había dicho desde el principio. Huir de todos los roces.

–Perdone –dijo ella al fin–, pero ¿viene o se va?

Tejada observó sus ojos redondos y opacos. Tardó unos segundos en responder.

–No lo sé. Depende del punto de vista.

La mujer suspiró y curvó los labios con más aburrimiento que desdén. Tenía el carmín corrido por una de las comisuras y un bigotillo casi transparente, ligeramente húmedo.

–Mire, no quiero molestar, pero me parecía tan solo..., genéticamente solo, quiero decir.

–No entiendo –dijo Tejada volviéndose.

–Sí, ese tipo de soledad genética que va dentro de uno desde el nacimiento, no sé si me explico. Las personas que padecen ese tipo de soledad están marcadas por una serie de características que algunos incluso han descrito y catalogado...

–¿Por qué habla así? ¿Es profesora, o psicóloga, o algo?

Ella bajó los párpados y se ahuecó con los dedos la melena.

–¿Piensa que mi forma de hablar no encaja con mi aspecto?

–En absoluto.

–¿Adónde va, entonces?

–Busco un hotel. Al menos de momento. A lo mejor usted conoce alguno que esté bien. Alguno que no esté muy lejos de la estación.

–Podría recomendarle varios... si estuvieran abiertos, claro. Pruebe en el Madison Lenox. Lugar glorioso donde los haya. Tiene que bajarse aquí –dijo alzando el brazo para señalar una de las paradas del plano.

Huele a sudor, pensó Tejada. También yo oleré, sin duda, a sudor y a otras cosas. A viejo. A mi propia vejez y a la vejez ajena. Se aclaró la garganta.

–¿Y cuáles son las características que según los expertos reunimos los que tenemos... soledad genética?

–Oh, son sobre todo marcas de orfandad. Es algo que me interesa mucho, la orfandad.

–Ja, pues se equivoca. Mis padres viven y tienen una salud de hierro. De huérfano, nada.

–Restringir la orfandad a la longevidad de los padres es un error impropio de su clase, doctor.

–¿Doctor? ¿Cómo sabe que soy doctor?

–Lo lleva escrito en la solapa, señor Tejada.

Avergonzado, trató de quitarse la acreditación que había olvidado. Su nombre y su nuevo carguito, en letras azules sobre fondo blanco. Se sintió como el pobre tipo que vuelve a casa en el último tren tras un largo día de reuniones con colegas igualmente etiquetados. Al desprender la acreditación, se le clavó el imperdible en el dedo, lo justo para sacarle una gota de sangre. Aún puedo sangrar, pensó. Cuando alzó la vista, tenía los pechos de la mujer a la altura de su nariz. Se había levantado y parecía dispuesta a bajarse del tren.

–Me quedo aquí –dijo.

Estaban ahora en la parada del puerto. Tras el río, se extendía un barrio de bloques estrechos organizados en hileras disciplinadas. «Bocamanga», pudo leer Tejada en el andén. La puerta se abrió con un silbido y la mujer corrió hacia ella. Al bajar, volvió la cabeza y le lanzó un beso con los dedos. Una parodia de Marilyn, pensó él, y la observó en la plataforma, sonriente, agarrada a una de sus maletas, devolviéndole la mirada burlona. El tren arrancó de nuevo empequeñeciendo su figura en el andén. Tejada ni siquiera sintió furia.

Pobre ladrona, pensó. Se lamió la sangre del dedo y prosiguió su trayecto, mirando por la ventanilla a medida que el tren se acercaba a la ciudad.

Esta vez consiguió una tarrina grande de comida de perros. La cogió del Lidl de abajo. Dos días después de su cierre, alguien había forzado la entrada para desvalijar lo poco que quedaba. Cuando la niña llegó, aún había alimentos desperdigados por los estantes, la mayoría caducados o con los envases rotos. Los vecinos habían telefoneado a los servicios de limpieza para que retiraran toda aquella comida en mal estado, que ya atraía a las ratas, y que comenzaba a cubrirse de moho y a apestar. Los efectivos tomaron nota. Ya irían, aseguraron. Pero primero tenían que acabar con lo que se acumulaba en los contenedores. Y había otros muchos establecimientos de los que ocuparse antes que ése. Ese tipo de cosas estaban pasando en todos los barrios de Vado.

–¿Cómo es posible que haya tanta basura, si cada vez somos menos gente? –gritaba una mujer, al borde del llanto.

La niña escuchó las conversaciones desde una esquina. Sólo había podido coger una tarrina de paté y no iba a arriesgarse a ir por más. La escondió entre su ropa y caminó mirando hacia los lados. Después corrió en dirección al puerto, sin parar ni un momento. Cruzó por varias calles sin encontrarse con nadie; pasó ante el muro del colegio, plagado de pintadas; se topó con otro perro greñudo y hambriento, pero continuó adelante sin mirarlo. Tifón movió el rabo al verla llegar. La niña abrió la tarrina, la puso en el suelo y se apartó respetuosamente mientras el animal se acercaba y acababa de comer en dos minutos. Se dio cuenta de que tenía una herida nueva en el costado y fue entonces, también, cuando avistó la maleta tirada junto a un montón de escombros. Corrió hasta allí y volvió arrastrándola, contentísima.

—¡Mira, mira, Tifón! Aquí podré guardar todos mis tesoros. Hasta podré llevarlos a casa cuando quiera. En la cueva secreta ya casi no caben...

Alguien había forzado el candado, apenas quedaba nada dentro: un par de pantalones, dos camisas arrugadas, un libro con las hojas llenas de polvo —*Har-mo-nium,* deletreó—, documentos que no podía entender, una cuchilla de afeitar. Y un carné de identidad. La niña trepó a un banco, sacó un rotulador del bolsillo y, mordiéndose los labios, pintó un gran bigote sobre la boca del tipo de la foto. Después le colocó una verruga en la nariz, y pelo, mucho pelo rizado, y dos pendientes. Enfrascada, no se dio cuenta de que Tifón se había tendido bajo sus pies, con el flaco costillar contrayéndose arriba y abajo mientras ella dibujaba. Era la primera vez que el perro se acercaba tanto a ella. Una ligera marea golpeaba rítmicamente la escalera de cemento que bajaba hasta el agua. Las embarcaciones de recreo se balanceaban con suavidad dejando a la vista sus tripas de madera. Poco a poco, se iba haciendo de noche.

Tejada soltó en el suelo la maleta que le quedaba y miró hacia la parte superior del edificio, con los ojos engurruñados porque era astigmático y el sol ya se había retirado por completo. HOTEL MADISON LENOX *****, leyó en letras grandes, y también, en un cartel escrito a mano, OFERTAS ESPECIALES, ESTANCIAS LARGAS, ALMUERZOS DE EMPRESA, CELEBRACIONES, todo con una caligrafía apresurada e infantil. A ambos lados de la puerta se alzaban dos columnas embebidas con las canaladuras oscurecidas por la mugre. Al otro lado, en una pequeña hornacina, el busto de un personaje ilustre que Tejada no consiguió reconocer. Se había levantado una densa ventolera y un par de bolsas de plástico correteaban una tras otra frente a la puerta giratoria. Costaba trabajo pensar que en aquel mismo lugar, no hacía mucho, debía de haberse apresurado un botones recogiendo maletas de chóferes artificiosamente vestidos. Ahora sólo quedaba el polvo; la sensación de polvo y abandono.

En el vestíbulo, esperó largo rato entre las sombras a que le atendieran. No encontró a nadie tras el mostrador de recepción, ni en la sala contigua, ni en el pequeño bar desmantelado en cuya barra se acumulaban decenas de botellas vacías. Todas las luces, salvo la de una lámpara de mesa con la tulipa polvorienta, estaban apagadas. Se sentó en un sofá, junto a la lámpara, y estuvo ojeando folletos publicitarios que cogió de una mesita. *Hotel Madison Lenox: el bienestar de la exclusividad,* se titulaba uno de ellos, y luego continuaba con la historia del establecimiento: sus orígenes señoriales, las visitas ilustres, sus sucesivas ampliaciones y mejoras. *Grandes personalidades se han bañado en nuestra increíble piscina de aguas turquesas,* indicaba un texto más abajo, acompañado de fotos de chicas con bañadores de lentejuelas. *Sienta en su propia piel el beneficio de una de las más importantes saunas del país: manicura, pedicura, masajes chinos drenantes y antioxidantes, ducha facial de oxígeno puro...*

–Buenas noches –dijo alguien a su lado–. ¿Qué deseaba?

Tejada se sobresaltó.

–Buenas noches –contestó. Se levantó y vio a una mujer de edad indefinida, con las manos hinchadas cruzadas sobre el pecho–. Una habitación –dijo–. Quería una habitación.

–¿Cuántas noches? –preguntó la mujer dirigiéndose hacia la recepción y encendiendo las luces a su paso.

Tejada la siguió y miró su cuerpo dibujándose bajo un kimono de seda rojo, las piernas muy blancas, unas zapatillas que dejaban a la vista los talones resecos.

–Todavía no lo sé. Quizá muchas.

–Pues deberá concretarlo en cuanto lo sepa.

Tenía el aire altivo de quien ha gestionado un gran negocio durante mucho tiempo, un tono de maestrita sabihonda que a Tejada le gustó e inquietó a partes iguales. Pulsó con un bastoncillo en la pantalla de un portátil y se entretuvo unos minutos resoplando. Por su actitud –los labios fruncidos, el nerviosismo concentrado en las falanges, el arisco silencio–

36

daba la impresión de que haber llegado sin reserva al Madison constituía una especie de sacrilegio.

–313 –dijo tras tomarle los datos–. Por motivos ajenos a nosotros, tenemos suspendido el servicio de restauración, pero si lo desea puede tomar una cena fría en su habitación. Marque la extensión correspondiente y se la haremos llegar. Ahora firme aquí –añadió–. Ha de pagar por adelantado.

La mujer extendió ante él una factura y lo miró con los ojos caldosos. El precio era desorbitado, pero Tejada se abstuvo de protestar. Pereza, se dijo. Cuánta pereza, cuánto desánimo, y qué insignificante era aquello, después de todo. Firmó y pagó.

El ascensor en el que se montó –un habitáculo de acero cuyo aire futurista no encajaba en aquel hotel– se atrancó en la segunda planta y Tejada tuvo que salir como pudo por el hueco y subir hasta la tercera por la escalera. No encontró a nadie por los pasillos ni oyó ningún ruido salvo las ruedas de su propia maleta deslizándose por la moqueta. La habitación, con su enorme cama y sus pesados cortinones, tenía el aspecto de no haberse aireado desde hacía mucho. Era una *suite* con su zona de estar, sillones tapizados, un despacho con PC y estatuas de querubines y caballos, algo que debía de haber resultado lujoso –o había simulado serlo– pero que ahora, sin embargo, daba aún más relieve al abandono. Abrió las ventanas y tomó una ducha, tras esperar, desnudo y sudoroso, a que el agua dejase de salir turbia. Comprobó después la cobertura de su móvil y salió un rato al balconcillo a mirar la ciudad moribunda y ya completamente a oscuras.

37

Frente al edificio del hotel se alzaba una mole marrón de al menos veinte plantas con pequeñas ventanas que le recordaron una gigantesca galleta *cracker*. Algunas, las menos, todavía estaban encendidas. Boqueando de calor, intentó descifrar el sentido de las ventanas iluminadas, como si se tratase de un código secreto de luces y de sombras. Después, cansado, marcó varias veces la extensión indicada para las cenas frías, pero nadie respondió al otro lado. Marcó otras extensiones distintas y fue igualmente en vano. Se acostó sin cenar y sin hambre, sin televisión y sin la mitad de su equipaje. Sin Elena, se dijo, sin Elena.

Catalino Fernández bebía una lata de cerveza caliente detrás de unos parterres. Cerró los ojos y se adormeció. Como siempre, hacía demasiado calor. Las chicharras entonaban su chirrido aletargante y los gatos se peleaban entre ellos, cada vez más salvajes y atigrados. Las rosas mustias desprendían un olor dulzón. Un abejorro rondaba perezosamente en torno a ellas. Poco a poco un ruido se acercó hasta despertarlo: la Clueca lo miró de reojo desde su silla de ruedas, con las faldas completamente alzadas.

—Clueca —le pidió él con un gesto cansado—, haz el favor de taparte un poco, mujer.

—¿No te gustan mis piernas? —susurró ella.

—Oh, claro —Catalino eructó hacia un lado—, tienes unas piernas preciosas. Pero piensa en tu marido. Y en tus hijos. A ellos no les gustaría verte con esa pinta, ¿no?

38

La Clueca se quedó unos instantes pensativa. Frunció la boca concentrada en algo: sus labios casi desaparecieron por completo. Daba la impresión de que las pecas se le oscurecían por el esfuerzo.

—Yo no tengo hijos —dijo al fin.

—Sí tienes, pero se fueron. —Catalino arrojó la lata vacía entre los matorrales—. Con suerte, a lo mejor vuelven a por ti.

—¡No vendrán porque no tengo hijos! —insistió ella, y echó abajo la falda.

Parecía realmente ofendida. Estrujó entre los dedos a Pérez, mascullando algo sobre hijos falsos e hijos no nacidos, pero él la interrumpió.

—Si te metieron en esta jaula de lujo es porque podían pagarla. Y si podían pagarla, podrán pagar algo como esto en otro sitio. Así que reza para que te saquen de aquí.

—No señor. Yo a mi Dios bonito le pido otras cosas. Esta noche cuando lo vea en la sopa le pediré que te saque a ti si tú quieres, pero yo me quedo.

Catalino rió, meneando la cabeza.

—¿Y qué le pides tú, Clueca? ¿De verdad rezas a los fideos? ¡Estás más chiflada de lo que yo pensaba!

—Le pido un novio —confesó sonriendo—. Un novio que me quiera. Hace tiempo que no tengo un novio que me quiera. Que me dé un bebecito, un nene que yo pueda criar en mi barriga.

—¿Eso le pides? ¿En serio? ¿Y cómo lo haces?

—Me concentro en el fondo del plato, despacito, muy despacito. Miro, miro y miro, y empieza a formarse la carita de mi Dios bendito, tan clara, tan bonita, y se queda así, flotando en el centro, y me dice Clueca preciosa, y a mí me viene una paz muy grande. ¿Me oyes, Catalino?

Pero Catalino, con los brazos colgantes y arrastrando los pies, se alejaba ya por el sendero hablando solo. Intentó patear a un gato que se le cruzó por delante, pero estaba tan borracho que resbaló y cayó sobre la gravilla con las piernas en alto. Primero se quedó inmóvil, después comenzó a reír a carcajadas. Ah, Clueca, exclamó, qué bien estás con tu locura, tu Dios en la sopa, tus ganitas de sopa, qué ceguera. La Clueca rió con él, a lo lejos, sin entender bien lo que pasaba.

Por la mañana, Tejada bajó al comedor del hotel, un salón amplio y acristalado con mesas cubiertas por manteles de brocado y jarrones sin flores. Los expositores de alimentos estaban vacíos, las bandejas apiladas y las copas cubiertas de polvo. Únicamente había dos mesas ocupadas: en una se sentaba un hombre muy moreno y con gafitas de aire concentrado en su ordenador portátil, en la otra, la mujer de la noche anterior, ojerosa, con el mismo kimono deslucido, dando caladas desesperadas a un cigarrillo. Cruzaron un escueto buenos días y ella se levantó para servirle. Mientras le preparaba su café, la mujer le explicó que ahora se ocupaba no sólo de la recepción, sino también de los desayunos y la limpieza de las habitaciones.

–Transitoriamente –matizó–. Estamos de reformas.

–Claro –dijo Tejada sin mirarla a los ojos.

—Hay que cambiarlo todo —explicó la mujer, más para sí misma que para Tejada—, y no me refiero solamente al hotel, me refiero a más cosas, a nuestros cimientos. Higiene, higiene.

Cuando acabó de atenderle, se sentó aparte y volvió a su ensimismamiento inicial. Cruzó las piernas y el kimono se deslizó hacia el suelo, mostrando su piel pálida. Tejada dejó de mirarla y tomó su café leyendo un periódico de cuatro meses atrás, con las páginas amarillentas y endurecidas. Los titulares de entonces todavía reflejaban cierta normalidad: *La Unión Europea se reúne en Dublín para acordar medidas contra la bajada de tipos; Terremoto en China: más de cuarenta muertos y dos mil personas evacuadas; Dos jóvenes matan a martillazos a una anciana para robarle en su casa; Comienza la liga de campeones.* En las páginas locales, nada relevante: cruce de acusaciones entre el alcalde y la oposición, una huelga de transporte, un reportaje sobre unas jornadas de hermanamiento con Japón patrocinadas por los centros comerciales de rigor. Pensó que quizá la mujer había comprado su kimono en algunos de aquellos *stands* que salían en la foto. Levantó la vista hacia su mesa pero ella ya se había marchado, dejando en el cenicero la colilla humeante.

Se desperezó, somnoliento. Luego miró el reloj y se sorprendió de lo tarde que era. La ausencia de ruidos parecía la propia de una ciudad recién amanecida, pero en realidad eran las diez, y Carvajal debía de estar ya esperándolo. Sin apresuramiento, subió por su maletín a la habitación. Por el pasillo se cruzó de nuevo con la mujer del kimono arrastrando un carrito al que le chirriaban las ruedas. Las greñas le caían sobre la frente.

–Pase un buen día –le dijo ella con brusquedad.

–Igualmente.

Luego se volvió sin apenas pensarlo.

–¿Cuánto tiempo lleva viviendo aquí?

–¿En Vado? –dijo ella–. Desde siempre.

–Ya. ¿Y en el hotel? Usted vive aquí, ¿no?

–Claro que sí. ¿Dónde voy a vivir? Éste es el mejor sitio posible. Ya he perdido la cuenta de los años que llevo aquí. A lo mejor también desde siempre. ¿Y usted? –frunció el ceño–. ¿Qué hace usted aquí?

Tejada hizo una mueca de disgusto. Pregunta por pregunta: había olvidado que así son las cosas. Pero su propósito era inamovible: nada de contactos. Uno no llega a una ciudad sin habitantes y se hospeda en un hotel vacío para contarle su vida a una recepcionista cualquiera. Rumió algo sobre la residencia New Life, se despidió secamente y salió con la mirada clavada en la moqueta.

Desde el Madison hasta la estación de tren tuvo que recorrer dos manzanas. La noche anterior estaba demasiado brumosa para poder fijarse en los detalles, pero ahora, a plena luz del día, veía los edificios semivacíos, la gente solitaria caminando con aire ausente, los coches abandonados en las aceras, algunos con los cristales rotos. Los semáforos cambiaban del rojo al verde y del verde al rojo en un parpadeo innecesario. Como una ciudad tras la guerra pero sin guerra, pensó. La estación, sin apenas trasiego, era una antigua construcción de ladrillo con altos techos rehabilitados. En la puerta, un kiosquero se había quedado dormido entre los periódicos. Era peor de lo que le habían dicho y, sin embargo, no le resultaba demasiado preocupante. Apretó los dientes y continuó hasta la taquilla tratando de no pensar en Elena.

En el tren cerró los ojos, escuchando el runrún en los raíles, las puertas abriéndose y cerrándose, los pasos lentos de algún viajero como él, alguna voz susurrante, alguna tos. El tren se detuvo en el apeadero de la plaza de España, en el Hospital de Santa Catalina, en Escuelas Pías. De pronto oyó una risa, una risa cantarina y ligera. Como un chorro de agua, pensó, y al abrir los ojos vio a una adolescente llena de luz, de piel casi transparente, con el pelo recogido en una coleta. La chica hablaba por su móvil con alguien a quien parecía querer mucho, y sonreía entrecerrando sus ojos. Era la primera vez desde su llegada a Vado que Tejada veía a alguien así. La primera vez, quizá en mucho tiempo, que veía sonreír a una muchacha. Dolorido, se volvió hacia la ventana para no mirar más.

El tren cruzaba ahora sobre el río, el río de Vado, ancho y esplendoroso, en cuyas aguas se estriaban los reflejos de la mañana. Desde el puente de hierro se distinguía el antiguo paseo fluvial, con sus edificios semiderruidos y las pasarelas cubiertas de basura. Pero ya nada le sorprendía. Únicamente se fijó en un perro muy flaco, un animal con el vientre encogido, quizá un galgo, que recorría una de las lindes del río buscando algo o a alguien.

2. LOS SILENCIOS

A Tejada ni siquiera le dio tiempo a despedirse de su antecesor. La mañana en que se incorporó a su puesto, el doctor Carvajal ya se había marchado de New Life. Al parecer, había cambiado de opinión y decidió no esperar ni un minuto más. Un enfermero calvo y taciturno le dio las llaves de su recién heredado despacho y le comentó que, antes de partir, Carvajal había estado pregonando a voces que ahora todos —enfermeros, pacientes, gatos y plantas— iban a estar muchísimo mejor.

–Parecía apreciarlo bastante –observó.

–Ni siquiera me conocía –respondió él.

Encontró el despacho exactamente igual a como lo había visto el día anterior. Carvajal no había recogido ni siquiera sus pertenencias más personales. Allí seguía el tótem, escudriñándolo con su mirada implacable, y todos sus utensilios de escritorio, post-its pegados en la pantalla del ordenador con notas incomprensibles y la guía telefónica abierta por la C –de

Carvajal, pensó Tejada, pero también de *calor,* de *cesión* y de *cobarde*–. Sobre una mesa auxiliar había una fotografía de una mujer sonriente que posaba con un bebé en los brazos. Junto a ella, Tejada encontró una nota escrita con letra apresurada.

Sé que dejo esto en buenas manos. Lamento no haber podido compartir más tiempo con usted, pero no eran necesarias más indicaciones: usted posee fuerza, decisión y arrojo. Me marcho con total tranquilidad porque vislumbro el esplendor que tarde o temprano recuperará New Life. Para entonces, estará al frente de una gran institución y nadie se acordará ya de mi humilde personita. Le deseo toda la suerte posible en el camino. Atte., Álvaro Carvajal.

Tejada permaneció sentado durante veinte minutos, sosteniéndose la cabeza entre las manos. ¿Qué hacía un hombre como él en aquella residencia moribunda que hasta su director abandonaba de un día para otro? Sacudió la cabeza y se masajeó las sienes un buen rato. Después estuvo curioseando en los archivos documentos varios que no se detuvo a leer. Aquel día no recibió a nadie ni nadie fue a verlo.

La Clueca avanzaba con el cuerpo hacia delante, farfullando maldiciones desde su silla. De vez en cuando se limpiaba con la manga el sudor que le chorreaba por las mejillas.

–Tiene que irse –decía insistentemente–. Tiene que irse de aquí cuanto antes. Es un peligro, ese tipo. Nadie que se llame Tejada es de fiar.

Los viejos tomaban el aire diseminados por los jardines, no más de una docena sentados aquí y allá. Agarradas del brazo, el trío de ancianitas admiradoras de Fedora paseaba bajo la pérgola cotorreando. Cuando la Clueca cruzó por delante, las tres la abuchearon.

–Parecen ustedes crías –les reprochó Ariché acercándose.

–Pero, hija, ¿has escuchado lo que va diciendo del nuevo doctor?

–No hagan caso de lo que diga. Simplemente tiene miedo. Debería darles vergüenza tratarla así.

Las ancianas se alternaron para explicarle que ella no conocía bien a la Clueca, que no intuía ni de lejos la mala leche que se gastaba, que robaba las galletas del desayuno, que una vez le pegó en la cabeza a la Mercedita, que otra vez había intentado comerse página a página un libro de la biblioteca, que les enseñaba las tetas y el chichi hasta a los gatos.

–Por no hablar de las broncas que se trae con el Profeta.

Ariché alzó las cejas con desconcierto.

–¿El profeta? ¿Qué profeta?

–Ese viejo flaco que se sienta en la mecedora de la puerta y que se pasa el día soltando discursos. Está tan loco como ella, así que cuando se encuentran los dos se monta una buena. El Profeta la insulta y ella se defiende, ¡vaya si se defiende! Otras veces le guiña los ojos y se pasa la lengua por los labios como la vedette de un club. Una auténtica vergüenza. Hoy día todo vale. Y aquí nadie pone un poco de orden.

–Bien saben ustedes que estamos bajo mínimos.

No nos culpen a nosotros. También ustedes deberían comportarse mejor.

No, gritaron las tres, no estaban de acuerdo. Tenían todo el derecho del mundo a protestar. ¿Acaso no pagaban sus familias para que pudiesen protestar?

Ariché suspiró. Tuvo que morderse la lengua para no revelarles una realidad que quizá ellas ya conocían. No, sus familias precisamente no estaban pagando por nada. Como otra mucha gente, se habían marchado sin importarles a quién dejaban atrás. Era lo que hacían todos. Era lo que también había hecho Carina, la dulce y pelirroja Carina, la única compañera que le quedaba a Ariché en la planta, la enfermera amantísima del doctor Carvajal. Todavía podía verlos a los dos la mañana bochornosa y grisácea en que se fueron, tomados del brazo, jactanciosos, despidiéndose de todo el mundo con besos sonoros y palmadas afectuosas en la espalda. Luego se habían alejado en su descapotable rojo, disolviéndose entre la turbiedad de la calima. Una hora más tarde había llegado el loco de Tejada, petulante, desinteresado, vacuo. Dejad que el tiempo siga su curso, había pregonado el Viejo a grandes voces, ya nada podrá detener la destrucción. Pero el tiempo no nos hace mejores, pensó la enfermera. El tiempo sólo nos hace más viejos. Peores y más viejos.

El sol comenzaba a ponerse y ahora había que recoger a todos los ancianos, ir a buscarlos como polluelos desperdigados por un corral, convencerlos uno a uno de que había llegado la hora de la cena, meterlos en el comedor, sentarlos a las mesas, anudarles las servilletas al cuello, ayudarles a sorber su caldo del tazón. Mientras tanto, a lo lejos, Catalino Fernández empinaba una lata de cerveza tras otra y el doctor Tejada, apresurado, cabizbajo, oscuro, se dirigía a la verja camino de la estación, dejando todo New Life a su suerte, sin haber tomado todavía ninguna decisión útil, sin haberse siquiera presentado al personal, cinco días ya y cada vez más desconcierto en todos lados.

Las primeras jornadas las pasó así, gastando horas y horas en el antiguo despacho del doctor Carvajal, sin hacer nada, yendo y viniendo en el tren desde el Madison Lenox hasta New Life, desde New Life hasta el Madison Lenox, cruzando el río en uno y otro sentido, del centro a la periferia y de la periferia al centro, con la cabeza ausente y quebrantada.

Aún no se había decidido a cambiar nada. Ni siquiera se había preocupado por encender el ordenador para analizar las fichas sanitarias de los residentes. Cuando consultaba algún documento –que leía sin interés y sin entender gran cosa–, lo devolvía a su lugar más por apatía que por conservar el orden. Enchufaba el viejo ventilador de aspas y caía en un sopor profundo, derrengado en el sillón giratorio, con la puerta cerrada. Algunos empleados decían haberle oído resoplar y roncar como si estuviese echándose la siesta. Otros aseguraban haber oído gimoteos y súplicas, como si hablase en sueños. Nadie, por el momento, esperaba tampoco mucho más. Descartada la posibilidad de mejorar, el personal de New Life se dejaba llevar, día tras día, sabiendo ya que Tejada no haría mucho más por ellos que lo que había hecho el doctor Carvajal, intuyendo que quizá tampoco podía hacer mucho más de lo que hacía: dormir su siesta y ocupar –aunque fuese sólo de un modo físico– el puesto de máxima responsabilidad de la residencia.

Pero el martes de la segunda semana Catalino Fernández se plantó en el despacho, con el rostro alterado y los ojos ardientes, y le preguntó a bocajarro qué demonios estaba pasando allí dentro.

–¿Cómo aquí dentro? –contestó Tejada sobresaltado.

–El personal rumorea. Estamos cansados. Si me permite decirlo, doctor, usted nos tiene abandonados, tanto a nosotros como a los viejos. ¿Para qué ha venido? ¿Acaso no es consciente de que los plazos se están acabando?

Catalino Fernández oteaba hacia los lados con la mirada perturbada. El polvo de los jardines se le había adherido hasta en la frente. El pelo, muy negro y tupido, le caía apelmazado en gruesos mechones. Le temblaban las manos, abultadas y con las uñas renegridas. Tejada no tenía humor para escucharlo ni un minuto más.

–Hijo, todo esto está hecho un desastre. Me refiero a la organización, al papeleo. He estado trabajando duro para poner un poco de orden. No es una tarea fácil. Me perdonará la inmodestia, pero esta labor de rescate no es algo que pueda hacer cualquiera.

–¿Y qué tiene que ver eso con nosotros? ¡Llevamos varios meses sin cobrar! Se están acabando los plazos, ¿no lo entiende?

Tejada se levantó con brusquedad, trastabillando. Su sillón quedó girando con un chirrido tenue, intermitente. Sacó un pequeño peine del bolsillo y lo pasó por sus cabellos pegajosos. Se balanceó, tomó aire.

—Mire, no sé de qué plazos me está hablando. Yo estoy aquí para hablar de los viejos. Los viejos son el alma de este sitio y es a ellos a quienes me debo. Porque ellos necesitan a alguien que los salve, no pueden defenderse por sí mismos. El personal puede esperar. Debe esperar.

El enfermero clavó sus ojos enrojecidos en un punto por encima de la cabeza de Tejada. Un punto concreto y desconcertante: había suma violencia en esa mirada.

—¿Dónde cree que va con sus aires de grandeza, doctor Tejada? ¿Quién se cree que es, infeliz? ¿Se permite despreciarnos?

Tejada encogió los ojos y contrajo los labios. Pronunció su respuesta con lentitud, cada una de sus palabras.

—Usted no tiene derecho a hablar de maltrato. Lo he estado observando estos días. Bebe demasiado. Se escapa en cuanto puede a comprar más bebida, o la roba. Descuida sus obligaciones. No riega ni poda las plantas. No barre. Anda por ahí y por allá más sucio que un gorrino. Insulta a los ancianos. Ni siquiera tiene la suficiente educación para pedir las cosas de una manera razonable. No tiene el más mínimo derecho a reprocharme nada. Así que márchese de aquí ahora mismo. Apesta a alcohol.

Catalino Fernández contempló a Tejada sin moverse. Su gesto no había cambiado: miraba más allá de su cabeza a algo que parecía estar detrás de él, con los brazos cruzados sobre su cuerpo ventrudo y una leve sonrisa esbozándose en la comisura de sus labios.

—Le he dicho que se vaya —repitió Tejada—. Salga inmediatamente de aquí.

Sin decir palabra, pálido y con su pequeña sonrisa torcida, Catalino se acercó hasta la puerta. Agitó su cabeza con aire satisfecho, soltó una carcajada y salió. Tejada se asomó a mirar su silueta al final del pasillo. Se pasó un pañuelo por la frente y después lo siguió a paso calmado hasta llegar a los jardines. La sombra de Catalino Fernández iba canturreando obscenidades que fingió no oír.

En la puerta, sentado en su mecedora de ratán, el Viejo empuñaba su bastón. Miró pasar a Catalino y movió la cabeza con desaprobación. Después, cuando Tejada se detuvo a su altura, lo agarró del brazo y le susurró algo al oído. Tejada sonrió. Ahí tenía a un aliado. Ahí tenía un contacto humano que resultaría para él del todo inocuo. Él no había buscado a nadie, ahora, de pronto, tenía a un enemigo y a un posible amigo. Sonrió otra vez.

La niña tenía ahora un nuevo escondite, una barcaza rudimentaria que había descubierto oculta entre unos juncos asalvajados. Pintada de color verde botella, había sido bautizada con nombre de mujer, MELISA. Debajo, en letras más pequeñas, su dueño había escrito SIEMPRE CONTIGO. La niña saltaba cada tar-

51

de entre los tablones y Tifón subía con ella, con una confianza nueva. Le hablaba de tesoros y viajes, de islas y de madres ausentes. Encaramada a la escalera, miraba hacia el horizonte con unos prismáticos que había encontrado en un contenedor. Tenían las lentes rayadas y no sabía cómo graduarlos, pero aun así miraba los trenes que pasaban a toda velocidad por el puente, a uno y otro lado.

Cuando el cielo empezaba a teñirse de rojo y de violeta, besaba a Tifón en el hocico y se marchaba arrastrando su maleta. En algo menos de media hora llegaba al piso pequeño y recalentado –un octavo en un bloque de ocho plantas en Pozolán, el barrio del extrarradio más humilde y umbrío de todo Vado–. Llegaba sucia, oliendo a agua estancada, pero su padre nunca le reprochaba nada. Distraídamente, le acariciaba el pelo y le ponía la cena, cualquier cosa, una tortilla francesa, nuggets refritos, yogures de limón. La niña siempre guardaba algo en los bolsillos para llevarlo a Tifón al día siguiente. Antes de acostarse, el padre le dejaba que se asomara a la habitación de la madre para que le diese las buenas noches desde la puerta. No estaba permitido pasar, le repetía cada vez. El médico había dicho que necesitaba toda la tranquilidad del mundo. Toda la tranquilidad del mundo, se repetía la niña, y miraba el cuerpo de la madre recostado en la cama, tapado con la sábana hasta la nariz, los brazos rígidos e irreales asomando por el embozo pulcramente doblado.

–Soy un gran hombre con una gran misión –sentenció Tejada ahuecando la voz.

El Viejo sonrió y lo miró babeando. Todo el desprecio y la repugnancia que malgastaba ante el resto del mundo se habían convertido ahora en admiración por el nuevo doctor. Tejada caminaba arriba y abajo pavoneándose. Se complacía en darle al Viejo lo que necesitaba: un Mesías, un salvador, alguien en quien creer y a quien confiar sus miedos. Un juego maligno, él mismo lo reconocía; un juego insano, pero terriblemente tentador. De todos modos, se decía, el Viejo estaba chiflado y medio sordo; aquello no podía hacerle daño. Y a él le venía bien hablar con alguien, distraerse, hacer pasar las horas.

–El doctor Carvajal lo tuvo claro desde el principio –continuó diciendo, acariciándose las mejillas–. Se sabía incapaz de mantener dignamente las condiciones morales en New Life, ni siquiera las condiciones, digamos, respirables. La única decisión que tuvo propia de un gran hombre fue la de ceder su cetro a otro hombre aún más grande que él, esto es, a mí. –Se señaló teatralmente–. Y no lo afirmo así porque yo sea nada especial. No encierro más valor que el que encierra cualquier otro hombre. Pero sé que esta historia fue escrita para mí. New Life es una metáfora de la caída de Vado y yo seré el demiurgo que, siguiendo las líneas marcadas por mi propio destino, dibuje el punto de inflexión que...

–Doctor Majada, pero no olvide –interrumpió el Viejo levantando el índice–, no olvide...

–Tejada, me llamo Tejada.

El Viejo sacudió la cabeza, impaciente.

—No olvide que primero van los lujuriosos —continuó—. Y después los avaros, los sediciosos, los malignos, los *tápralas*...

—Primero los lujuriosos —repitió Tejada alzando las cejas—. Sí, sin duda son maleza. Pero antes que a ellos habría que combatir a los perezosos, a los ociosos, los haraganes, los gandules. Son el hastío y el ocio los que conducen hasta los apetitos carnales. ¡Hay que atajar el mal por su raíz!

El Viejo lo miró sonriente y luego, con los ojos entrecerrados, recitó para sí:

—¿Qué es el orgullo sino la locura, qué es la ira sino la fiebre, qué es la avaricia sino *hidopresía,* qué es la lujuria sino la lepra, qué es la pereza sino parálisis?

Tejada observó al viejo encogido, las manos agarradas a su bastón nudoso —casi fundidas en él, por su textura, por su color—, el flaco cuello echado hacia delante, con la clavícula sobresaliendo bajo la piel amarillenta. Lo inspeccionó detenidamente, morbosamente, sin saber que a su vez él estaba siendo observado por Catalino Fernández, que agazapado tras una yuca seca, con sus tijeras de podar colgadas de la trabilla del pantalón, entreabría la boca.

¿Qué es la pereza sino parálisis?, repitió Tejada mentalmente.

Catalino Fernández encendió su cámara.

Se levantaba cada vez más temprano. No dormía bien. Incluso cuando conseguía aletargarse, no perdía

54

del todo la conciencia. Las cortinas de su habitación se inflamaban con la brisa caliente, con una cadencia de respiración fatigosa. Salía al balconcillo en ropa interior y agarrado a la barandilla miraba hacia las pocas luces encendidas en el enorme edificio de enfrente; cada vez menos luces, cada vez más débiles.

La mujer del kimono le había dicho que estaban esperando al técnico que arreglaría el aire acondicionado. Tejada le contestó con un gruñido; sabía que mentía. Mantener fresca una construcción tan grande como el Madison Lenox, con sus techos altos y señoriales, era demasiado costoso. Al menos, era demasiado costoso para tan pocos huéspedes. En todos los días que Tejada llevaba allí sólo se había encontrado con cinco o seis personas. Se habían saludado con bruscos movimientos de cabeza, con un gesto de reconocimiento de la especie. Ninguno de ellos tenía aspecto de ser turista, más bien el aire perplejo de quien se ha confundido de destino.

Una mañana se encontró el comedor cerrado y a la mujer del kimono sentada tras el mostrador de la recepción, fumando y limándose las uñas.

—Hoy no hay desayunos —le dijo ella sin levantar la vista—. En realidad, no habrá desayunos de ahora en adelante. Me es del todo imposible mantener la cocina abierta.

—¿La cocina? —rió Tejada—. ¿A una cafetera y una tostadora lo llama cocina?

—Lo lamento, doctor. Hay un bar en la esquina. Allí podrán servirle el desayuno.

Tejada no respondió. Subió a la habitación a

buscar su maletín y se detuvo frente al espejo, con el pecho abombado por la ira. Miró su cuerpo rechoncho pero fuerte, su barba recortada, sus lentes gruesas, la nariz ganchuda de sus antepasados. A pesar de todo, se dijo, era un hombre atractivo. Tras él se reflejaban la cama deshecha, el desorden: bolas de papel de aluminio, calzoncillos sucios, papeles, botellas vacías. Cogió aire y al bajar encontró a la mujer barriendo con desgana el vestíbulo. Se dirigió a ella sin mirarla.

–Usted debe saber que podría quedarme en cualquier otro sitio por la cuarta parte del precio que pago aquí. Hay incluso casas vacías, en un estado excelente, donde podría quedarme gratis. Debería ser consciente de que el Madison Lenox va a tener que adaptarse a los nuevos tiempos.

–Márchese entonces. Nadie le obliga a quedarse.

Continuó barriendo sin alzar la vista. Las losas de la entrada formaban un escudo heráldico que a Tejada le resultaba familiar, con leones y banderas que se retorcían en torno a unas acacias. La mujer había acumulado un montoncito de polvo y de cenizas justo en el centro del dibujo. Tejada lo miró unos instantes, pensativo.

–No he llegado hasta aquí para estar mudándome cada dos días. No me iré. Únicamente pido un trato más amable y más adecuado al nivel que se le presupone a este sitio. Un desayuno decente. Una cena fría cuando descuelgue el interfono. La habitación limpia. Un ventilador, al menos. No puede ser tan complicado.

–¡Sí, sí lo es! ¡Usted no tiene ni idea de nada!

Súbitamente enfadada, la mujer removió con un pie la basura que acababa de recoger. Respiraba fatigosamente, erguida en el centro del escudo, con la cabeza baja, los pies roñosos, el kimono medio abierto, mirando toda la suciedad desperdigada alrededor. Tejada se fijó en su pecho, que se elevaba y descendía a trompicones, como un motor estropeado.

–No tiene ni idea de nada –repetía ella más bajo, ahora con voz casi inaudible.

–Quizá no –dijo él, y se marchó sin mirar hacia atrás y sin tentaciones de hacerlo.

Arrastrando la maleta, la niña recorría las calles de Bocamanga a la búsqueda de algún supermercado abandonado. Tifón la seguía de lejos, cauteloso. Aquélla había sido la zona comercial del barrio, con su trazado reticular, racionalista, hacia el que confluían todas las urbanizaciones de viviendas. Casi todas las tiendas habían sido saqueadas: pasaron por delante de selectas boutiques, establecimientos de tecnología, centros de belleza con sus camillas y sus cabinas de hidromasaje comidas por la mierda. La niña miraba aquellos vestigios sin asombro.

A ella le gustaban los grafitis. A veces se había parado a mirar a los grafiteros manejando sus botes de pintura, cómo pulverizaban los muros con colores, como magia. Pero ya hacía mucho que no venían grafiteros a Bocamanga, ni saqueadores, ni siquiera vagabundos. No había nada ni nadie, sólo el viento silbando entre las ventanas sin cristales, montones de cascotes, pedruscos y tablones, y un calor inclemente que casi podía palparse, agazapado tras las paredes.

Recorría las calles cabizbaja, tratando de recordar a través del tiempo y el abandono la apariencia que habían tenido antes aquellas calles. Al cabo de un rato, guiada más por el instinto que por las señales físicas, avistó lo que estaba buscando, el Multi-Open 24 horas. En otros tiempos había ido muchas veces con sus padres. Ahora, el escaparate estaba destrozado a pedradas. La luz mortecina de la tarde entraba iluminando los anaqueles vacíos. En el suelo se acumulaban cartones, periódicos y revistas del pasado invierno, trapos, latas de comida abiertas. Se tapó la nariz y recorrió los pasillos –o lo que quedaba de ellos–. Dio un gritito de alegría al encontrar lo que quería. *Collar antiparasitario,* leyó sosteniendo el paquete. *Talla M: para perros de menos de 20 kilos.* Miró a Tifón, que se había quedado esperando en la puerta. Su silueta afilada se perfilaba en la luz como un trazo de tinta.

–¿Tú pesas menos de veinte kilos? –le gritó.

Tifón se volvió mostrando sus costillas. Estaban tan marcadas que incluso desde lejos podrían haberse contado sin dificultad.

–Es el único collar que queda. –La niña rebuscó entre los estantes–. Aquí sólo veo arena de gato y barritas para cobayas. No creo que te gusten.

El perro bostezó y se sacudió con un escalofrío. Saltando sobre los escombros, la niña abandonó la tienda. En la puerta se agachó para anudarle el collar. Le quedaba ligeramente holgado. Suspiró satisfecha y el galgo le lamió la suciedad de la mano.

–Tifón, bonito –rió ella–. ¡Pesas menos de veinte kilos!

El Viejo tenía los pies sobre una silla mientras Ariché se esforzaba en cortarle las uñas, costrosas y duras como las escamas de un leviatán.

–Ten cuidado, niña –gruñó él–. Me estás haciendo daño.

La enfermera se detuvo un instante y continuó después sin contestar. Ése no debería ser su trabajo. Hacía tan sólo un año, en aquella planta trabajaban hasta veinte personas, entre médicos, enfermeros, fisioterapeutas, esteticistas, animadores socioculturales y psicólogos. Ahora, para atender la residencia al completo, sólo quedaban ella, otros dos enfermeros en la planta superior –a los que casi nunca veía–, el encargado de la lavandería, la cocinera, el borrachín de Catalino Fernández y el ausente doctor Tejada, que para colmo se permitía alojarse en el centro de Vado, en un gran hotel decadente, quién sabía por qué y para qué. Una plantilla raquítica para atender a tanto viejo loco, se dijo mientras arrancaba los últimos pellejos de los dedos agrietados. Una plantilla loca para atender a tanto viejo raquítico. Una plantilla vieja para atender tanta locura junta.

–Bueno, esto ya está. Por lo menos, ya no romperá más calcetines.

—La culpa es de quien ha tardado tanto en evitarlo —dijo el Viejo—. Pero es más cómodo mirar hacia otro lado, seguir adelante como los borricos guiados por su zanahoria.

Sobre el cráneo del viejo despuntaban algunos mechones de pelo. Los ojos estaban hundidos en sus cuencas, pequeños y brillantes como puntas de alfiler. Miró a Ariché con odio y añadió:

—Sois todos unos miserables.

—Claro que sí. —Ella lo levantó sin esfuerzo y lo sentó en un sillón añoso—. Lo somos.

—Pues no creas que el Ojo sabio no lo sabe. Lo ve todo. Ahora os da igual, claro. Cuán largo me lo fiáis, el horizonte está lejos, vive la vida loca, el universo es curvo e infinito..., todas esas sandeces. Y así nos va.

—Venga, no empiece con sus profecías. Cansa usted hasta a las piedras.

—Sí, sí, a las piedras... Pues entérate: ayer estuve hablando con el doctor Majada y él está de acuerdo, él me entiende. Es todo un caballero, el doctor Majada. Una gracia que Dios nos ha concedido para *afontrar* el apocalipsis.

Ariché rió desganada, desacompasadamente, como si hubiese olvidado el modo natural de reír.

—¿El doctor Majada? Sin duda una excelente incorporación en New Life, claro que sí... Justo cuando todo el mundo se va, él viene.

—Le conté lo de la señorita Carina y el doctor Carvajal —prosiguió el Viejo sin escucharla—. Y estuvo conmigo en que es necesario erradicar todo brote de lujuria. ¿Sabes? Cada palabra que pronuncian los lujuriosos está infectada de pecado, cada soplo de aliento está *corruto*. Lo pienso y vienen a mi lengua todas las maldiciones *blíbicas*. ¡Ojalá se queden atrapados en su orgullo, por sus blasfemias y mentiras!

El Viejo cerró los ojos y murmuró:

—*Extermínalos con tu furor, extermínalos y que no existan más. Así se sabrá que Dios gobierna en Israel y hasta los confines de la tierra. Vuelven al atardecer, aúllan como perros y recorren la ciudad. Vagan en busca de comida, pero no se sacian, siguen ladrando...*

—Bueno, basta, basta —dijo ella desde la puerta. Lo miró encogido, apretándose las manos, vertido en la oración—. Seguro que el doctor Majada también tiene o tendrá pronto a su correspondiente Carina. Sólo es cuestión de tiempo.

Se marchó arrastrando su carro a lo largo del pasillo y escuchó la voz del Viejo adelgazándose, cada vez más débil, *pero yo cantaré tu poder y celebraré tu amor de madrugada, porque tú has sido mi fortaleza y mi refugio en el peligro.*

Un día más, pensó la enfermera. Un día menos.

Aquella mañana, sin avisar a nadie y antes de subir a su despacho, Tejada pasó por la cocina e improvisó una inspección de las dietas de los ancianos, esforzándose por recordar los historiales que apenas si había hojeado el día antes. Preguntó por el menú para diabéticos, para celíacos, para los que tenían que perder peso y para los que tenían que ganarlo. Fingió cálculos sobre calorías y anotó algo en una libreta. La

61

cocinera respondió solícita a todas sus preguntas y aprovechó para exponerle sus quejas –los distribuidores ya no traían nada que se saliese de los productos básicos; el aceite se había puesto por las nubes; aún no había llegado nadie a reparar el horno; ella sola no podía con todo, etc.–. Tejada le colocó una mano sobre el brazo y le pidió que se tranquilizase.

–Los nervios no nos llevan a ningún sitio –añadió sin centrar la mirada en ningún lado, como hubiese podido decir cualquier otra frase.

Después, con sus andares suficientes, recorrió la residencia como un general que pasara revista a su tropa. Dio la mano a los dos enfermeros que se acercaron a presentarse, pero no escuchó sus nombres ni les preguntó nada acerca de sí mismos. Balanceó el brazo blandamente mientras miraba los pasillos alicatados, con sus filas de habitaciones entreabiertas que dejaban ver rendijas de camas, piernas flacas, calvas, pieles gastadas, camillas, cuñas. Dos viejos asomaron por las puertas sus cabezas desconfiadas; uno más avanzó por el fondo, agarrado a un soporte metálico con gotero. El silencio sólo era interrumpido por el rechinar de los carritos y las sillas de ruedas.

En la planta baja encontró al encargado de la lavandería y a Ariché organizando la limpieza del día. Los dos se sorprendieron de verlo allí y lo saludaron ceñudos, con reservas.

–¿No hay nadie más? –preguntó Tejada–. Además de a ustedes, sólo he visto a dos enfermeros y a una cocinera.

Se fijó en Ariché, en sus ojos inteligentes, los pechos pequeños que se intuían tras la bata, sus tobillos delgados y morenos. Ella le sostuvo la mirada.

–Queda Catalino –dijo–. El jardinero. Antes era ATS. Ahora se ocupa de las zonas exteriores.

–Al señor Catalino ya lo conozco –respondió Tejada con brusquedad, y subió a su despacho sin despedirse.

Una vez arriba, se quitó la chaqueta sudada, se arremangó la camisa y se sentó en el sillón giratorio, ligeramente complacido. Ya estaba todo hecho, pensó. Ya nadie más podría reprocharle su desidia. Ya estaban presentados. Ahora, que lo dejasen en paz. O en eso que algunos confundían con la paz: el paso del tiempo sin sobresaltos, sin interrupciones, la sensación de continuidad, el orgullo intacto, sin fisuras. Dio varias vueltas distraído, con las manos cruzadas sobre el vientre, sonriendo para sí mismo, hasta que le venció el cansancio y se reclinó para dormir todas aquellas horas de sueño que le debían en el Madison Lenox.

Desde el día en que la mujer del kimono anunció el fin de los desayunos, se acostumbró a ir al Esturión, un bar cercano al Madison Lenox que había gozado de cierta fama y que aparecía invariablemente en todas las guías turísticas de Vado. La primera vez que llegó se detuvo a contemplar las pequeñas fotos enmarcadas que forraban las paredes, desde el rodapié hasta las recargadas molduras de los techos: el dueño del Esturión con un duque, con un conde, con un torero, con un futbolista, con una cantante, con dos modelos, con un empresario, con un diseñador de trajes de boda. Debajo de cada foto, un cartelito indicaba el título de cada uno de los visitantes motivo de orgullo. Todo el Esturión era en sí mismo una demostración de orgullo. Los pasamanos dorados de la barandilla estaban primorosamente pulidos, los suelos olían a lavanda y a pino y todos los cristales brillaban intactos.

Tejada se dio cuenta de que la resistencia del Esturión era más formal que activa, más una negación a ver que una negación del derrumbe, más un empeño que una realidad. El único camarero que quedaba al frente de la barra vestía chaqueta burdeos, camisa blanca almidonada y pajarita a juego. Con sus mejillas recién afeitadas y el aire altivo, saludó a Tejada con indiferencia. Aquella mañana también había llegado otro cliente nuevo: el caballero excéntrico de las gafas de aire caladas, con su nariz aguileña y el cráneo particularmente estrecho.

Tejada pidió café con leche y dos medias lunas con mantequilla. El estruendo de la máquina de café era considerable: probablemente necesitaba una revisión y una limpieza a fondo. El camarero mantenía la cabeza muy alta, con dignidad, la nariz apuntando al techo, como si todo aquello –incluido el ruido de la máquina– fuese una extraordinaria muestra de distinción. Tejada se sentó en un rincón y saludó con una inclinación de cabeza al hombre de las gafas, que lo entendió como una invitación para sentarse a su lado.

–¿Conque nos hemos quedado sin desayunos? –dijo sonriendo.

Tejada asintió y continuó sorbiendo su café sin decir nada. Su acompañante miró alrededor tamborileando con los dedos sobre la mesa y repitiendo para sí palabras sin contenido, como *vaya, vaya* o *bueno, bueno*. Cuando Tejada acabó de zamparse sus bollos, habló de nuevo.

–Parece que este sitio se resiste al *hundimiento.*

–No sé de qué hundimiento me habla, jefe.

–Justo a ese al que nadie quiere referirse. Es curioso. *Curiosísimo.*

El hombre tenía un acento extranjero que Tejada no consiguió identificar; cada pocas palabras su voz se aflautaba formando terminaciones inusualmente agudas.

–Los periódicos y las televisiones locales, esto es, los pocos que *aún* no han cerrado, no dicen nada sobre el asunto. Pero el resto de los medios de comunicación *tampoco* dicen nada, ni comentan nada, ni explican nada. La gente se marcha despavorida, la ciudad queda moribunda y a *nadie* de Vado le parece extraño. *Curiosísimo.*

–Yo no soy de Vado.

–Ya lo imaginaba. Normalmente los que se alojan en un hotel vienen de otra ciudad. Pero, sea como sea, usted tampoco *quiere* hablar al respecto. *Curiosísimo.*

–Pero es que no sé de qué quiere que hable.

El hombrecillo se levantó con nerviosismo, volvió a sentarse, le tendió la mano.

–Me llamo Rachid Benmoussa. Soy súbdito británico, de padre marroquí. Investigador *científico* de los grandes movimientos migratorios. El EURI, esto es, el Institute for the Research of Urban Evolutions, me ha enviado para *documentarme* sobre el caso de Vado. Llegué hace tres semanas y aún no me he enterado de *gran* cosa.

—¡Ja, y acude a mí! —Tejada soltó una risotada.

—Cualquiera puede ser informante.

—Yo no, jefe. No tengo ni idea de nada. Absolutamente de nada. Mi nombre es Francisco Tejada. Súbdito de no sé dónde y de padre de..., tampoco sé dónde —rió exageradamente—. Trabajo como jefe de geriatría en una residencia de ancianos. New Life, se llama, fíjese. Por cierto —añadió cambiando el tono—, creo que le gustaría ir allí, ya que investiga los fenómenos de la decadencia.

—No ese tipo de *decadencia*. —Rachid Benmoussa se subió las gafas, que se le resbalaban una y otra vez por el sudor.

—Bueno, quizá le interese comprobar cómo han dejado allí a los pobres ancianitos, exactamente igual que los sofás, televisores y colchones tirados por las calles.

—Oh..., sin duda... es lamentable.

—¿Por qué lamentable? Yo diría que es lógico. Tomándolo desde la frialdad y la asepsia, se cumplen las leyes de la supervivencia. Unas leyes basadas en un principio que yo enunciaría como *en época de vacas flacas, salva tu culo y deja atrás lo que menos valga*.

Benmoussa inclinó la estrecha cabeza hacia Tejada. Sus pupilas se movían, descentradas. De pronto parecía terriblemente acalorado.

–Pero ¿no le parece una *crueldad?*

–No, claro que no.

–¡No puedo creerle! ¡Bromea!

–No, jefe, en absoluto.

Una mosca se había posado junto al borde del plato, frotándose concienzudamente las patas. Ambos la miraron en silencio. Entonces Tejada se dio cuenta de que el camarero había estado escuchando toda la conversación desde la barra. En su mirada no había aburrimiento, tampoco indiscreción, sino más bien una especie de arrogancia iracunda. En el entrecejo se le había formado una arruga alarmante. Tejada comprendió que era hora de irse; al fin y al cabo no podía quedarse allí toda la mañana para escuchar las reflexiones de un desconocido estrafalario. Se despidió de Benmoussa, dejó el dinero en la mesa y se marchó del establecimiento fingiendo prisa. Benmoussa salió tras él, desconcertado.

Una noche encontró a la mujer del kimono vestida sin kimono. Esta vez llevaba un traje de chifón blanco, vaporoso, que le dejaba al descubierto los brazos carnosos y las pantorrillas maduras pero fuertes. La mujer se abanicaba con desaliento; los cabellos negros y opacos le caían en desorden sobre la cara. Al ver a Tejada su mirada brilló un instante; después se endureció, impenetrable. Tejada le dio las buenas noches.

–He pensado bajarle la tarifa –dijo ella por respuesta–. Ha demostrado ser un buen cliente.

–¿Ah, sí? ¿Qué es exactamente un buen cliente?

–Me refiero a su constancia. Intuyo que va a quedarse aquí bastantes noches más, no tiene sentido cobrarle a precio de turista. Podríamos arreglar un pago mensual, como en una pensión.

–Una pensión sin desayuno, claro. –Tejada sonrió mordazmente. No pensaba pagar de ningún modo.

–Sin desayuno –repitió ella. Luego echó el cuerpo hacia delante mostrando parte de sus pechos–. ¿Le apetecería tomar una copa? Invita la casa.

Tejada vaciló. Una copa, se dijo. Una copa aunque sea con esta mujer. Una copa. No respondió, pero cuando ella se levantó él comenzó a seguirla.

La mujer se dirigió hacia una puerta doble con cristaleras, forcejeó un poco y abrió las dos alas. Comunicaba con un gran salón rectangular que debía de haberse utilizado anteriormente para convenciones y reuniones de empresas. Al encender las luces, se oyó un chisporroteo seguido de un fogonazo, y después nada.

–Iré a buscar algo para poder ver. Quédese aquí un momento.

Tejada esperó en la penumbra, un tanto arrepentido. Cuando la vista se le acostumbró a la oscuridad distinguió un estrado con una mesa alargada. Frente a ella se extendía una docena de filas de butacas. Tejada se acercó al estrado, subió y se sentó en uno de los sillones de conferenciante. Posó la mano en el tablero y notó una pátina de grasa; los micrófonos brillaban bajo la luz filtrada a través de los altos ventanales. Cerró los ojos y trató de imaginar cómo serían los que se habían sentado allí en otro tiempo. De ellos ya no quedaba nada.

Notó a su lado a la mujer, que volvía a tientas. Ella le dijo que no había electricidad. No en ese momento, matizó. Se arreglaría pronto, pero de momento estaban sin luz. La vio apesadumbrada, y sintió lástima.

—No pasa nada —dijo—. Se ve bastante bien. Hoy hay luna llena.

Ella suspiró.

—Baje de ahí, venga conmigo. En aquel mueble quedan botellas sin abrir. Podrá escoger a gusto.

Tejada la siguió hasta el aparador que había tras una barra. Trató de imaginar su función en el pasado: un camarero prepara aperitivos para los directivos y secretarios generales de las empresas. Todos beben y charlan cordialmente, se dan la mano, intercambian tarjetas. Adorables azafatas pasan entre ellos ofreciéndoles sofisticados canapés. Los ejecutivos desean más la comida que a las muchachas: la cobardía hace que se codicie mucho más lo inmediato. Sólo los espíritus elevados desean con ardor lo inalcanzable, pensó Tejada.

Rebuscó entre las botellas, eligió una de ginebra y la puso sobre la barra. La mujer había traído vasos y una bolsa de hielo. Tomaron la ginebra sin mezclar, acompañada de unas galletitas saladas que encontraron junto a las botellas y que, sorprendentemente, se mantenían crujientes y apetecibles. Bebieron largo rato sin decir nada mientras Tejada, luchando contra su mala vista, escudriñaba en la oscuridad.

—Este salón se nos llenaba siempre —dijo la mujer encendiendo un cigarrillo—. Venían personas de un montón de países distintos, de todos los continentes. No dábamos abasto para atenderlos a todos. Gente de nivel, de una gran exquisitez.

—Y ahora se encuentra usted con el hotel vacío... Un tremendo contraste. Vivimos en el tiempo de recordar las viejas glorias.

—El hotel no está vacío —protestó ella.

—Ah, claro que no. Por supuesto que no. Disculpe mi precipitación. No está vacío, claro que no. Estamos el doctor Majada y el intrépido investigador marroquí, ambos al acecho de un nuevo tiempo.

—¿Qué dice? Usted no sabe de lo que habla. Hay muchos más clientes hospedados aquí. Una veintena al menos. Que usted no los vea no significa que no estén. Usted pasa el día fuera. No sabe nada.

—Cierto, cierto. No es la primera vez que me lo dice. No sé nada.

La mujer se sirvió otra copa, sin ofrecerle a Tejada, que apuraba la suya lentamente. Un coche pasó cerca, dejando un halo de luz recorriendo el salón vacío de arriba abajo. En la distancia pudo oírse el último tren que llegaba a la estación. Una estación fantasma, pensó Tejada. Miró a la mujer, se acercó a ella y la besó en la boca, sin abrazarla porque tenía una de las manos ocupada.

Esa mañana, Tejada decidió no ir a New Life. No porque necesitara descansar, ni para hacer nada especial a cambio, sino por pura y absoluta pereza. *¿Qué es la pereza sino parálisis?*, recordó. Justo así se quedó, paralizado, con el móvil sobre la mesilla, sin enviar ni recibir llamadas en toda la mañana. Durmió hasta tarde, desnudo y acalorado, y después estuvo viendo la televisión. Por la tarde, suponiendo que la mujer del kimono estaría durmiendo su siesta, bajó sigiloso, cruzó el vestíbulo y salió raudo a la calle.

Cuando llegó al Esturión, encontró al camarero sacando brillo a unas copas de borgoña.

—Es tarde hoy, señor —le dijo alzando las cejas.

—Sí, es muy tarde —admitió Tejada. Después pidió algo para comer.

El camarero le llevó una porción de empanada de atún y una jarra de cerveza muy fría.

—Disculpe, señor —dijo al colocar la comida en la mesa—. Esto es lo que puedo servirle ahora mismo. Normalmente no ponemos almuerzos.

El camarero no se apartó de su lado. Se quedó allí de pie, como si intentase encontrar las siguientes palabras. Era alto, enjuto, un poco encorvado. Sus ojos destellaban altivos e impasibles. Tejada lo miró con gesto interrogante.

—Verá, señor —dijo al fin—. Esta mañana estuvo aquí su amigo, el caballero delgado y moreno, el de las gafas. Preguntó por usted.

—¿Benmoussa? No es mi amigo.

—Disculpe, señor, lo vi hablando con usted algunas veces.

—Se aloja también en el Madison Lenox. Eso es todo.

–Sólo quería preguntarle si es de la policía o algo así. –El camarero mantenía una pequeña sonrisa mientras hablaba–. Me estuvo haciendo multitud de preguntas..., primero sobre el Esturión..., después sobre el barrio..., finalmente sobre todo Vado.

–¿Y usted qué le dijo? –preguntó Tejada masticando la empanada.

–Intenté ser correcto con el caballero, pero no supe bien qué responder. Yo pensaba que si es su amigo..., perdón, su conocido, podría decirle que no tengo ninguna información. No puede ir sonsacando así a la gente. Si tiene alguna sospecha, que hable directamente con el dueño. Tenemos todos los papeles en orden.

–No se preocupe. Benmoussa no es policía. –Tejada se reía por lo bajo–. Y ahora, por favor, déjeme solo.

El camarero se retiró impávido y Tejada terminó de engullir su comida sin levantar la cabeza del plato. Aquel camarero, con sus aires de grandeza y su falsa modestia –*señor* para abajo, *señor* para arriba–, le irritaba. Claramente tenía algo que esconder, algo que a él no le interesaba lo más mínimo. Sin embargo, ese secreto –esa ilegalidad, probablemente– era lo que mantenía intacto su ridículo orgullo. Con gusto se hubiese comido otro trozo de empanada, pero pagó su cuenta y salió mascullando un adiós.

Caminó sin rumbo por las calles del centro. Sumido en el silencio, el centro histórico de Vado mantenía cierta belleza decadente. Algunas calles sinuosas, con el suelo empedrado, desembocaban en anchas vías comerciales de edificios ilustres, dieciochescos, con grandes ventanales y nervaduras. En el acerado aún se distinguían los raíles de un tranvía turístico. La mayoría de las tiendas, aunque estaban cerradas –algunas con las puertas tapiadas–, no habían sido saqueadas, lo cual ya era una diferencia notable respecto a los barrios periféricos que veía cada día desde el tren. Únicamente permanecían abiertos algunos negocios de carácter familiar, tras cuyos mostradores podía verse a pequeños comerciantes con la mandíbula apretada y el gesto tenso, pero eran los menos. Las más, las grandes cadenas comerciales y las franquicias de moda, habían cerrado todas, así como los Starbucks, los Burger King, los Kentucky Fried Chicken. Tejada vio también pintadas en las paredes –declaraciones de amor, insultos, consignas políticas y sentencias apocalípticas trazadas en tinta roja–, pero muchísimas menos que las que se veían en el extrarradio. Un grupo de operarios limpiaba a manguerazos las calles y los muros. Evidentemente, pensó, alguien en Vado aún tenía interés en mantener la ciudad con la cara lavada. Pero el extrarradio, concluyó, terminará comiéndose al centro; el cáncer acabará con toda la ciudad tarde o temprano; la resistencia del casco histórico, del Esturión, del Madison Lenox, era conmovedora, pero tenía los días contados.

Entró en un pequeño establecimiento que encontró al final de una calle estrecha, junto a un edificio antiguo que parecía haber sido un colegio mayor. Las paredes estaban forradas de azulejos de colores y las mesas de plástico, también de colores, se agrupaban al fondo, a medio recoger. El local estaba atendido por una chica que llevaba un mandil sucio y mascaba chicle mirando un pequeño televisor colgado en alto. Sin duda, aquél había sido un sitio de gran concurrencia juvenil, pero en aquellos momentos estaba tan vacío que la chica se sobresaltó al ver a Tejada. Él hizo un gesto tranquilizador. No soy un asaltante, le dijo. Ni un violador, por supuesto, pensó mirándola de reojo.

La chica se levantó a preparar el sándwich que Tejada pidió, resoplando como si la hubiera importunado en el mejor momento del día. De fondo se oía el ronroneo del televisor; estaban emitiendo un combate de *pressing catch*. Uno de los luchadores, un tipo con los músculos bañados en sudor y una máscara de purpurina, aporreaba a otro en el suelo, con la melena bailándole a uno y otro lado, mostrando los dientes y sin dejar de insultar a su contrincante. El público jaleaba la escena con furor, sumido en una especie de catarsis. La chica se acercó a Tejada, le dijo que no quedaba beicon, tampoco salsa tártara. Ni pepino.

—¿Y qué te queda entonces? —dijo Tejada, ceñudo.

—Casi nada, la verdad.

—¿Entonces por qué no cambias esto? —preguntó él alzando la carta con las fotos de los bocadillos.

La chica cruzó los brazos sobre el pecho y lo miró desafiante. A través de su rostro adolescente podía reconocerse a la gorda matrona que llegaría a ser en poco tiempo.

—Y yo qué sé. Pide otra cosa y ya te diré si lo tengo o no.

–No me tutees. Haz el favor de no tutearme, ¿de acuerdo? Te llevo por lo menos treinta años.

–Vale, vale, tranqui –murmuró ella con una risita–. Entonces..., ¿qué desea el señor? ¿Desea monsieur pedir otra cosa, por favor?

Tejada se levantó tirando la silla al suelo. La chica y él mantuvieron sus miradas en alto. De ningún modo, pensó Tejada, ella puede ser rival para mí. Se dio la vuelta y salió sin despedirse. Le desalentó ver por segunda vez las mismas calles, las mismas tiendas precintadas, las mismas pintadas –*La única iglesia que ilumina es la que arde; La ciudad es de todos... ¡quema tu parte!*–. No quería volver al Madison Lenox. Casi sin pensarlo, cogió el tren de siempre. Iría un rato al río. Se bajaría en el puerto fluvial y se tumbaría en un banco a mirar el cielo encapotado. No había nada mucho mejor que hacer por allí. Durante el trayecto se adormiló. Tanto que bajó despistado en la parada de Bocamanga, una parada antes de lo que debía. Se maldijo a sí mismo. Le dolían los pies –los zapatos abotinados, estrechos en exceso, eran la causa– y tenía demasiado calor para continuar andando. Se sentó en un banco de una plaza con una fuente seca y un kiosco cerrado. En una de las esquinas había una rampa que acababa en una rasante. Un sitio para el horror del skateboard, pensó. Esos detestables muchachos con gorras y pantalones caídos que juegan a romperse la crisma todo el día. Pero a Elena le gustaba mirarlos, recordó. Decía que eran fantásticos. Desvió la vista hacia otro lado.

Entonces descubrió a la niña.

Más adelante, cuando recordase aquel momento, Tejada se daría cuenta de que lo que le llamó la atención no fue encontrar a alguien en aquel lugar desolado. Lo más sorprendente era ver a una niña. No había visto niños desde que llegó a Vado. Ni bebés ni niños. Y ahora, de pronto, aquella niña delgada, fibrosa, con el pelo ondulado que caía graciosamente sobre su espalda, arrastrando con esfuerzo una maleta. Tejada se levantó y abrió los ojos con sorpresa: aquélla era su maleta. La niña no parecía haberlo visto; prosiguió su camino mirando hacia el suelo, con pasitos cortos y vigorosos. Canturreaba absorta una canción. Tejada la contempló en silencio. Después gritó:

–¡Eh! ¡Tú! ¡Espera!

La niña levantó la cabeza y lo miró extrañada. Ambos se miraron sin decir nada. El tiempo pareció suspenderse. Todo se hizo lento unos instantes, hasta que de golpe se aceleró de nuevo y la niña echó a correr. Se dio la vuelta y corrió torpemente, arrastrando su maleta, pegando trompicones. Tejada la llamó.

–¡Eh! ¡Un momento! ¡Espera! ¡No voy a hacerte nada!

Pero la niña se alejaba sin mirar atrás, de vuelta al río. Tejada echó a correr en su dirección, jadeante, sintiéndose ridículo. No te haré nada, pequeña, gritó. Espera un momento, no corras. La distancia entre ambos se acortaba con rapidez; la niña tropezaba continuamente y casi estuvo a punto de caer. Tejada avanzaba veloz, la alcanzaría de inmediato. Espera, espera, volvió a repetir, cuando de pronto sintió que una masa de piel y de huesos se le abalanzaba resoplando. Cayó al suelo. Algo que gruñía y babeaba lo empujó y le hizo dar varias vueltas. Quedó boca arriba manoteando y lanzando patadas, sin identificar aún a su atacante. Una profunda punzada le alcanzó en una mano; otra, más fuerte y dolorosa, en el muslo. Fue sólo al sentir el dolor de la mordida cuando se dio cuenta de que se trataba de un perro. Notó el aliento del animal en el cuello y se lo protegió instintivamente con los brazos. Sintió un olor a sangre, a saliva, a orina; escuchó muy de lejos, como amortiguados, los gritos de la niña, y entonces pensó que se moría, que así iban a acabar sus días, que al fin todo iba a terminar de aquella manera, tirado en el suelo de Bocamanga, arrastrado y humillado, olvidado de todos y también de sí mismo. Fisiología del envejecimiento, pensó con un escalofrío, y después se desmayó.

3. LOS ENCUENTROS

Tejada fue atendido en el hospital de Santa Catalina. Tuvieron que coserle puntos en dos heridas profundas; le dieron antibióticos, antiinflamatorios y antitérmicos, y le pusieron las vacunas del tétanos y de la rabia. Durante todo aquel día y parte del siguiente tuvo alucinaciones, aunque no está claro si se debían o no al ataque sufrido. Se veía a sí mismo disparando con un revólver a un perro labrador que lo miraba de frente, a distancia. El perro caía en silencio sobre sus patas delanteras, como a cámara lenta. La bala le penetraba con limpieza en un costado, junto al corazón, y dejaba a la vista un profundo agujero rojizo. Pero de pronto el perro parecía revivir, se levantaba y se abalanzaba sobre Tejada. Él trataba de huir, pero sus músculos no le respondían. Abría inconscientemente los dedos y el revólver caía al suelo, disparándose y levantando un gran remolino de tierra. En medio de este remolino Tejada sentía –sin verla– a Elena que gritaba, lloraba y preguntaba *por qué por qué* al vacío.

Aquella pesadilla tenía un sentido evidente que Tejada no se molestaba en esquivar. Al despertar, metía la nariz bajo los sobacos y se olisqueaba. Si las interpretaciones tienen algún valor, murmuraba, es el de este olor. Recostado rígidamente, con la cabeza apoyada en un almohadón y las piernas muy estiradas, miraba los focos del techo y sentía los latidos de su corazón como un reloj averiado. Permaneció unos días encerrado en su habitación en una especie de estado de shock que, sin embargo, cualquiera podría haber percibido –sin asomo de duda– como falso.

Salvo Rachid Benmoussa, nadie lo visitó durante aquel tiempo. El agente del EURI se quedó impresionado cuando lo vio con el lado izquierdo de la cara hinchado, el labio partido y el cuerpo lleno de magulladuras.

–¡Oh, Dios santo! –exclamó con la voz quebrada–. ¿Cómo han podido hacerle eso?

–Bueno, fue un perro. Usted sabe que fue un perro.

–No hay derecho, no hay derecho. –Benmoussa lo miraba sorprendido, con una mano sobre la boca–. Esto no puede permitirse.

–No se alarme, jefe. No es tanto como parece.

Hablaron de la cantidad de perros abandonados que había en Vado, y en especial en los suburbios. En realidad, la conversación consistió en un conjunto de exclamaciones escandalizadas por parte de Benmoussa –que caminaba a un lado y otro de la habitación agitando los brazos– y en monosílabos desganados por parte de Tejada –que proseguía mirando al techo con impasibilidad.

—¿Sabía que hay un plan específico de urgencia para el *exterminio* de animales abandonados en Vado?

—Ehhh..., no.

—¡Se cuentan por *decenas* de miles!

—Exagera, exagera.

—¡No me refiero sólo a los perros! Hay gatos, loros, chinchillas, conejos, iguanas..., ¡hasta *ginetas* y serpientes!

—Sí.

—¡Quizá ya hay más población animal que humana!

—Sin duda. No olvide contar las ratas y las cucarachas. Pero eso sucede en todas las ciudades.

—¿Le importaría que le contara los avances de mis *investigaciones?*

—¿A qué viene eso ahora?

—Me gustaría adelantarle algo. Si no le molesta.

—Esa pregunta sobra, jefe. No puedo huir de aquí. Tampoco puedo cerrar los oídos. Si habla no tendré más remedio que escucharle.

Benmoussa insistió. Si no compartía con nadie sus *averiguaciones,* dijo, perdería la perspectiva. Se volvería loco.

—¿No mantiene el contacto con sus compañeros de ese instituto de donde le han mandado?

—Ehhh..., no..., no de momento. Ellos quieren el informe *finalizado,* no impresiones vagas.

—¿Entonces sus avances no son más que impresiones vagas?

—No, no, no. —Benmoussa se llevó las manos a su cráneo como queriendo exprimir las palabras precisas—. Todo, absolutamente todo, está *basado* en el trabajo de campo: la observación, el análisis, los testimonios de los *informantes*... Y además poseo ya algunos documentos oficiales, estadísticas, estudios...

–Interesantísimo –le interrumpió Tejada–. No hay ninguna duda de ello. Pero ¿no sería posible dejar este asunto para más adelante? Ahora mismo estoy fatigado. Comprenderá, jefe, que la convalecencia y los efectos de la medicación me agoten hasta este punto.

Benmoussa levantó las palmas de las manos, conciliador, y le pidió que no se preocupase. Habría muchas otras ocasiones para hablar de ello, ¿verdad? Él debía de saber que no era fácil encontrar con quien comunicarse aquellos días. Tenía el aire inteligente de los grandes hombres, se le notaba en cada movimiento. A Tejada le temblaron los párpados cerrados. Benmoussa miró su reloj, dio varias vueltas más por la habitación, se asomó a la ventana. Cuando se volvió, Tejada estaba roncando. Incluso para Benmoussa aquellos ronquidos resultaban exagerados. Con todo, se marchó de puntillas, cerrando con suavidad la puerta para no despertarlo por si acaso.

En el comedor de New Life quedaban cada vez más sitios libres. En los últimos días otras cuatro familias más habían sacado de allí a sus ancianos. Parecían haberse organizado previamente, porque se presentaron a la vez y actuaron de la misma manera: pidieron los historiales, gestionaron traslados a otras residencias y dejaron la mensualidad sin pagar. También parecían bien asesoradas: argumentaron que las

81

condiciones médicas e higiénicas en New Life no eran ni de lejos las que se habían prometido en los primeros tiempos y que, por tanto, el contrato había sido incumplido por la propia residencia, dejando a la otra parte –esto es, a ellos– sin obligación alguna al respecto. Los empleados no encontraron fuerzas para protestar; tampoco había nadie para darles órdenes. Empaquetaron los objetos personales de los viejos, buscaron sus expedientes en el antiguo despacho del doctor Carvajal y los despidieron desde la puerta, sin demasiados afectos. En aquellos días también se marchó otro de los enfermeros, sin avisar, llevándose un ordenador portátil, ropa de cama y utensilios varios de menaje y de papelería. Menos viejos, pero también menos enfermeros, se decía Ariché mientras ayudaba a la cocinera a servir los almuerzos; esto no contribuía precisamente a resolver los problemas.

–Consuelito, hija, tráeme otro plato de sopa –pidió la Clueca guiñando un ojo.

–No soy Consuelito, Clueca, soy Ariché –dijo ella acercándoselo–. Y no deberías tomar tanta sopa. Un plato es más que suficiente.

–Consuelito, eres demasiado rebelde. No te pagamos para que te portes así. Las de tu clase no deberían tener tanto carácter.

En el comedor sólo se oía un rumor de chasquidos y sorbidos y el ronroneo de fondo del televisor, que nadie miraba. En el techo, un ventilador con grandes aspas movía el calor de un lado a otro. Las moscas permanecían suspendidas en lo alto, adormiladas y zumbantes. Sentada aparte, agarrando con las manos las ruedas de su silla, la Clueca inclinó la cabeza hacia su segundo plato de sopa, entornó los ojos y comenzó a hablar en voz baja.

—Oh, mi Dios bendito, ¡manifiéstate! —invocó.

Ariché la escuchó susurrar, al principio en un tono dulce, casi maternal; después, a medida que la cara de Jesucristo surgía de entre los fideos, más excitada y elevando el tono hasta que comenzó a proferir maldiciones contra el mundo en general y contra el doctor Tejada en concreto. Los mensajes emanados de los vapores de la sopa caliente insistían en que el doctor debía marcharse enseguida de New Life, cuanto antes. De no ser así, afirmó, acontecería una terrible catástrofe. Pero nadie prestaba demasiada atención a la Clueca. Ni siquiera el Viejo, tan dado él mismo a las profecías, parecía interesado en escucharla. Ariché se asomó por uno de los ventanales del comedor. La vista era desoladora, como si un gran soplo de aire ardiente hubiese fulminado de una vez todas las plantas y absorbido cada una de las pocas gotas de agua que quedaban. Ariché frunció el ceño al descubrir un punto distante en el que la niebla estaba concentrada sin motivo. No la niebla, se dijo, sino una mancha caliginosa, de tono gris oscuro, que fue agrandándose y de cuyo centro, casi imperceptible al principio pero nítido después, se erigió una columna de humo negro. Olfateó desconcertada hasta que se dio cuenta de lo que estaba sucediendo.

—¡Fuego! —gritó.

Ella y la cocinera acudieron corriendo hacia el jardín mientras los viejos, impertérritos, siguieron rumiando su almuerzo. Cuando llegaron, el fuego ya había devorado unos arbustos secos y trepaba con rapidez alrededor del tronco de un limonero; las hojas del árbol chisporroteaban como un serpentín de feria. A poco más de dos metros, apoyado sobre un banco y semiinconsciente, descubrieron a Catalino Fernández rodeado de latas de cerveza y de tetrabriks de vino vacíos. Con la ayuda de una carretilla, jadeantes y sudorosas, las dos mujeres echaron varios kilos de tierra sobre el foco del fuego, que se extinguió dejando el aire moteado de pavesas. Con la cara tiznada, Ariché se contuvo para no abofetear a Catalino Fernández, que, aturdido, tambaleante, se alejó tarareando la sintonía de inicio de *Acorralada*.

Durante aquellas tardes, la niña estuvo buscando a Tejada sin tener la menor idea de dónde encontrarlo. Volvió a la plaza de Pozolán, dio paseos por los alrededores, fabuló con que debía de vivir por allí cerca. Pensó que quizá era un profesor, quizá un científico o un fugitivo, quizá todo junto al mismo tiempo. ¿A quién preguntar? Necesitaba averiguar dónde encontrarlo. Tenía que explicarle que Tifón le había mordido porque estaba asustado, pero que en realidad era un animal pacífico, inofensivo, tan digno de vivir como podía serlo cualquier otro perro. Si el hombre no lo entendía así, podría hacer que lo mataran sin clemencia. Perro rabioso, perro sarnoso, escoria andante... La niña sabía bien cómo se dirigía todo el mundo al pobre Tifón. El perro más maldito de los perros malditos. Su pobre perro-lombriz con pelaje de tigre. Su perro con antifaz negro, calcetines blancos y collar antiparasitario para ejemplares de menos de veinte kilos. Tenía que salvarlo como fuese.

Tejada no telefoneó a nadie en New Life, no dio explicación para sus ausencias. Pensar en volver le causaba un profundo desánimo. Quizá la ira podría haber vencido a su cansancio, pero ni siquiera estaba lo suficientemente enfadado. Sólo quería dormir, pensar –o fingir que pensaba–, no ver a nadie. El refugio de las heridas, se dijo, era quizá el más confortable en aquel tiempo. Benmoussa le llevaba la comida a diario. Esa tarde llevó también un mensaje.

–La recepcionista me preguntó si podría venir a verle –dijo con timidez.

–¿La recepcionista? ¿Qué recepcionista?

A Benmoussa le tembló el ojo izquierdo. Tartamudeó algo inaudible y cambió de conversación. Tejada dijo no.

–¿No a qué?

–A lo de la recepcionista. Ya me entiende.

Benmoussa asintió, pero aun así la mujer entró sin llamar media hora más tarde. Se había embutido en un camisón negro de encaje con franjas transparentes en los costados y calzaba unos estrechos zapatos de tacón alto. Se acercó lentamente a Tejada y se plantó frente a él, muy seria, tambaleándose sobre sus tacones. Tejada se dio cuenta de que se había pintado los labios de rojo vivo. Olía a una mezcla de alcohol y perfumes.

—¿Ya has vuelto a la vida? —preguntó ella, tuteándolo por primera vez.

—Nunca me fui, que yo sepa.

—He entrado con la llave maestra porque no sabía cómo te encontrabas.

—Pues ya ves, estoy bien.

—¿Y yo? ¿Qué tal estoy?

—Perfecta —mintió él mirando sus piernas.

Se echaron sobre la cama y batallaron con torpeza el uno contra el otro. Fingieron besos, mordiscos y caricias; fingieron jadeos y entusiasmos. A la media hora se quedaron tumbados boca arriba, mirando al techo.

—No pasa nada —susurró ella.

Tejada no contestó. La oscuridad iba cayendo sobre Vado. Los muebles de la habitación revelaron sus aristas, los sillones se convirtieron en masas amenazantes y en el tocador el espejo se llenó de reflejos. Se oyeron varias sirenas a lo lejos y el graznido cercano de dos vencejos que habían construido su nido en el alero del balconcillo. La mujer carraspeó y le preguntó a Tejada si quería escuchar su historia. Tejada no despegó los labios, pero ella encendió un cigarrillo y comenzó a hablar.

Le contó que era la primogénita de un gran magnate de Vado, el señor Carlos Madison, que había fundado una cadena de hoteles, una escuela de modelos, dos agencias de publicidad, dos cadenas de televisión, una docena de emisoras de radio y varios periódicos y revistas de actualidad, economía y moda. Un imperio de la comunicación, resumió ella, sin darse cuenta de que Tejada reía entre dientes. Su padre había enviudado siendo ella bastante pequeña. Ni siquiera recordaba bien a su madre, dijo con la voz quebrada. Sólo conservaba una imagen fugaz, la de una mujer con la piel muy blanca que tomaba un baño, y ella, todavía una niña de pocos años, sorprendida por el tamaño y la oscuridad de sus pezones, que sobresalían del agua de la bañera –Tejada se excitó levemente con la imagen, pero siguió callado–. Tras numerosos *affaires,* el señor Madison se había casado dos años atrás con una chica a la que ella misma doblaba en edad. Podría ser su nieta, añadió. Su nieta, pero era su mujer, y a esta chica iría destinado ahora todo el imperio que se desmantelaba en Vado y que se instalaba en otras partes del mundo, reinventándose. Ambos, el señor Madison y su bombón de ojos negros, se habían marchado al extranjero. Posiblemente a Londres, a París o a San Francisco; ella no lo sabía con seguridad. En todas estas ciudades, y en otras tantas, su padre poseía apartamentos de lujo con cocinas de diseño que nunca se usaban y grandes piscinas en las terrazas. Ella, en cambio, había preferido quedarse en Vado, al pie del cañón, luchando por el Madison Lenox, el edificio que representaba mejor que ningún otro el espíritu de las viejas glorias. Tenía problemas para mantenerlo, claro que tenía problemas, admitió, pero aun así llevaba adelante su empeño con dignidad. Con la cabeza alta. Con decencia. Tejada volvió a reír, pero ella no pareció escucharlo.

Había anochecido por completo. Ambos sudaban sobre la cama deshecha. Tejada se levantó para tomar un baño y le pidió que no le molestara al día siguiente. Iba a trabajar en su habitación, le explicó; tenía mucha tarea atrasada. Se despidió al entrar en el aseo, cerrando la puerta con brusquedad. Necesito estar solo, añadió desde dentro. No demasiado ofendida, la mujer se marchó recolocándose su camisón transparente.

Tejada se lavó con cuidado, procurando no mojar los vendajes de la pierna y la mano. Contempló su desnudez en el espejo, con desaliento y sin fuerzas. Había perdido mucho en los últimos tiempos. Había perdido color, tersura, nervio quizá. Se cepilló los dientes y salió un rato al balconcillo para mirar el edificio de enfrente. Juraría que esa noche eran bastantes menos las ventanas que estaban encendidas. El código secreto se hacía más parco, más conciso, enmudecía. La interpretación se complicaba. Se acordó de la niña y sintió que sus heridas palpitaban, aún crudas.

Esta vez, en la plaza de Bocamanga, había un grupo de adolescentes con gorras sentados en un banco. No eran skaters, no bebían ni daban voces –como Tejada pensaba que hacían siempre–, no hacían nada salvo estar allí juntos, intercambiando alguna palabra en voz queda de vez en cuando. Tejada los miraba con discreción, sentado al otro lado de la plaza. Ellos también lo miraban a él, en estado de alerta. Es posible, pensó, que estuvieran esperando a algún camello. Incluso podían creer que él mismo era un camello. No era sencillo encontrar una explicación para su presencia allí: un tipo de mediana edad, más o menos bien vestido, ajado, avejentado, con síntomas de haber recibido recientemente una paliza. Un mafioso. También podían creer que era un mafioso. O un degenerado que buscaba a algún chavalín para sodomizarlo en cualquiera de los edificios abandonados. Miró todos aquellos bloques de pisos que rodeaban la plaza, construcciones nuevas y funcionales de ladrillo y cemento. Los grafiti se extendían por las fachadas como una enredadera. Casi podía imaginar el interior de las viviendas saqueadas: pertenencias sin valor tiradas por el suelo, sobras de alimentos putrefactos, cadáveres de animales domésticos, restos de fogatas. Eran mucho más interesantes los lugares donde aún se debatían los restos vivos del pasado. La mujer del kimono con su ridículo camisón intentando seducirlo en un hotel como el Madison Lenox. El camarero del Esturión sacando brillo a las copas de borgoña. Catalino Fernández conspirando entre los jardines con las tijeras de podar colgadas de un bolsillo. Y la niña. Aquella niña en una ciudad sin niños a la que estaba esperando desde hacía tres horas en aquel banco ardiente.

Un toque vacilante en la puerta del despacho sacó a Tejada de su siestecita matutina. Sobresaltado, miró su reloj, parpadeó varias veces, se frotó los ojos y dijo *pase.*

Ariché entró despacio y miró a Tejada con el semblante muy serio.

—Doctor —dijo en voz baja, como si dudase de sus propias palabras—, espero..., espero que se encuentre bien.

Aquella mañana, cuando Tejada llegó a New Life, la cocinera se había echado las manos a la cabeza. Como la única explicación que dio fue tan escueta, los rumores se extendieron con rapidez. La versión del ataque del perro fue pronto sustituida por la de una paliza a manos de una banda de ladrones que había entrado en el hotel durante la noche. El encargado de la lavandería sabía de otros compañeros a los que les había pasado lo mismo. Lo peor era la vergüenza de no haber podido defenderse, explicó; quizá de ahí venía todo aquel cuento absurdo del perro. Catalino Fernández, por su parte, dijo que lo más probable era que Tejada se hubiese caído por unas escaleras —no hay más que ver su grotesca forma de andar, añadió—. La Clueca se hizo varias cruces sobre la frente e invocó a su Dios bendito en los cereales del desayuno —aunque sin resultado—. Para ella, lo sucedido no era más que otro mal augurio derivado del propio apellido de Tejada. Mientras tanto, el Viejo se apresuraba para verlo, aferrado a su andador de metal como un bebé en su tacataca. Avanzaba muy lento, tanto que, cuando consiguió alcanzar la entrada, Tejada ya se había encerrado en su despacho.

Ariché, ahora frente a él, mirando su rostro contusionado y sus vendajes, no le preguntó cuál era la realidad de todas aquellas habladurías. Cuando Tejada le aseguró que se encontraba bien, ella miró alrededor y cambió de tema.

90

–Todo está igual que estaba.

–No he tenido tiempo de cambiar nada. –Tejada se levantó y se apoyó en el tablero de la mesa, ocultando la foto de la mujer y el bebé–. He estado trabajando en el estado de las cuentas, en los expedientes, los fundamentos y procedimientos legales. Mi antecesor dejó esto en un estado incoherente..., sin duda caótico.

Ambos guardaron silencio durante un momento. Ariché se fijó en la mesa limpia de papeles. A través de la veneciana cerrada se tamizaban haces de luz intermitentes que recorrían las paredes color crema. El ventilador giraba sobre ellos moviendo levemente los escasos cabellos de Tejada.

–¿Nos hemos visto antes? –dijo él de pronto.

–Claro, doctor. Nos presentamos en la lavandería, ¿no lo recuerda?

–Sí, supongo que sí. Estamos demasiado aislados como para recordarnos.

–Nosotros no estamos aislados. Es a usted a quien es difícil ver. Desde que llegó, no hay manera. Y luego, además, todos esos días que ha pasado fuera. Pero me prometí a mí misma que cuando volviese hablaría con usted. Estoy obligada a informarle. Nadie lo ha hecho hasta ahora, nadie ha hablado con usted más de dos minutos. Ninguno salvo Catalino, que no es muy de fiar. Justamente he venido a hablarle de Catalino, entre otros problemas. La semana pasada hubo un incendio en los jardines. Catalino debió de dejarse una colilla sin apagar. El calor y el viento seco hicieron lo demás. Fue una suerte que no pasara nada. Creo que debería estar enterado de lo que sucede aquí.

Ariché se detuvo para coger aire, pero Tejada la interrumpió.

–Dime... tu nombre..., no recuerdo bien..., es un nombre extraño. ¿De dónde proviene?

–Ariché es un nombre mexicano –contestó ella, irritada–. Mis padres eran mexicanos; yo no. Yo nací en Vado. Ariché significa atardecer.

–Atardecer... Es curioso. –Tejada entrecerró los ojos–. Atardecer, ¿puedes venir a verme en cualquier otro momento? Ahora mismo estoy muy ocupado.

Ariché apretó los puños. Sus pupilas se dilataron cuando se decidió a hablar.

–No. No puedo venir a hablar en otro momento. He venido ahora para hablar ahora. ¿Sabe cuántos días hace que llegó aquí? Yo se lo diré: treinta y siete días, doctor. ¿Y sabe cuánto hace que trabajamos sin cobrar? Noventa y siete días, doctor. Por eso los últimos enfermeros se están yendo. Carvajal nos dijo que usted solucionaría este problema, pero no sólo no se ha solucionado sino que incluso empeora. ¿Qué espera que hagamos? ¿Que nos quedemos sumisamente sentados hasta que le venga en gana hacer algo o decirnos algo?

–Querida Atardecer. Yo soy geriatra. El jefe de geriatría, no el jefe de salarios y nóminas. Háblame de fisiología del envejecimiento. Háblame de decadencia física, de alzhéimer, de párkinson, de demencia senil. Háblame si quieres de pañales geriátricos, de cacas geriátricas. Pero no me hables de nóminas. ¿Qué sé yo de las nóminas?

–¡Pero si acaba de decir que desde que llegó ha dedicado todo su tiempo a la administración y al estado de las cuentas! ¿Pretende reírse de nosotros? ¿De todos nosotros? ¿O es que nos miente? ¿Qué ha estado haciendo desde que llegó? Dígame, míreme a la cara y dígame la verdad: ¿a qué se dedica? ¿A qué demonios se está dedicando? ¿Para qué ha venido a Vado? ¿Quién es usted, qué hace usted en Vado?

Ambos se miraron con fiereza, jadeantes, el rumor del ventilador acompasándose al de sus corazones desbocados. Qué estoy haciendo en Vado, se preguntó Tejada. A qué he venido, a qué me dedico. Las preguntas de Ariché daban vueltas en su cabeza. Notó un latido arrítmico en las sienes y se sintió débil de nuevo. Mareado, con los ojos vueltos hacia arriba, se dejó caer sobre el sillón giratorio. Las ruedas se movieron bruscamente y Tejada cayó, como a cámara lenta, como el perro de su sueño, doblado sobre su pierna herida y sin quejarse. Ariché lo miró estupefacta. Tejada, desde el suelo, la miraba sin verla, con los ojos vidriosos y sin brillo. Ella se sintió sacudida por un escalofrío. Sin pensarlo, salió corriendo del despacho.

La silueta de la niña empezó a perfilarse en la distancia. Tejada frunció los ojos tratando de enfocarla. Los adolescentes se habían marchado no hacía mucho; Tejada agradeció que el reencuentro finalmente no tuviese testigos. Bien, se dijo, ahí tenemos a la pequeña de la maleta, y entonces distinguió también al perro flaco y atigrado, varios metros tras ella, con el hocico inspeccionando entre las basuras. La niña caminaba mirando al suelo, pisando las losetas de dos en dos. Tejada no se atrevió a llamarla. No todavía. Esta vez no debía asustarla. Entonces ella levantó la cabeza y lo vio. Se quedó parada; ambos se quedaron parados, sin saber cómo reaccionar. No irá a pasar lo mismo otra vez, se temió Tejada. El tiempo no es circular ni leches parecidas. Aquí hay que avanzar, se dijo, ir hacia delante, y caminó en dirección a ella, sonriente. La niña le devolvió una sonrisa luminosa, pero Tifón gruñó mostrando los colmillos.

–Tranquilo, Tifón –dijo ella rascándole entre las orejas–. Es nuestro amigo.

Tejada se acercó aún más hasta encontrarse frente a frente con la niña. Con torpeza, evitando la brusquedad en sus gestos, se agachó junto a ella y le preguntó su nombre.

–Miguel.

–No digas tonterías. Lo pregunto en serio.

–Miguel –repitió la niña sin pestañear.

–¡Pero Miguel es nombre de niño!

–Yo soy un niño.

–Ya. Claro.

Tejada señaló la maleta y le preguntó qué llevaba dentro. Ella la abrió y le mostró la linterna de dinamo, los prismáticos rayados, una brújula, un despertador roto, el Ken sin Barbie, la mascota de Barbie también sin Barbie, un barquito de madera, un pedazo de tela brillante que parecía haber sido del turbante de un disfraz, un teléfono de los antiguos con su disco giratorio, dos cedés y seis o siete carátulas vacías. Tejada le dijo que no era necesario ver más.

—Tengo más cosas en el *Melisa*. Es una barca preciosa que está en el puerto. Tifón vive allí.

—¿Quién es Tifón?

—El perro que te mordió —dijo muy seria.

Tifón se mantenía apartado, expectante. No parecía dispuesto a atacar de nuevo, pero observaba a Tejada con las orejas tiesas y la boca entreabierta. Los jadeos le marcaban aún más el costillar. Tejada jamás había visto un perro tan flaco. En cambio aquellos ojos le resultaban dolorosamente familiares. Los del perro de Elena. Aquel labrador castaño. Cerró un instante los ojos y prosiguió.

—Tifón vive en el *Melisa*. ¿Y tú, Miguel? ¿Dónde vives tú?

—Oh, por allí. —La niña señaló unos bloques de pisos en la lejanía.

De perfil su piel era aún más transparente. Tenía los labios un poco adelantados, las mejillas carnosas, y su modo de hablar recordaba la dulzura de los terneros cuando maman.

—¿En Bocamanga?

—No, no. En Bocamanga ya no vive nadie. Mi casa está un poco más allá. En Pozolán.

—¿Vive aún mucha gente por ahí?

La niña le explicó que en su barriada aún quedaba gente, y algunas tiendas abiertas. Y todavía había colegio, aunque ahora nunca le mandaban tarea, así que tenía mucho tiempo libre. Por eso bajaba por las tardes hasta al puerto, para ver a Tifón. En la maleta llevaba y traía sus tesoros. Se lo pasaba bien, terminó de decir mirando hacia lo lejos. Tejada la miró a ella, pensativo. Qué criatura tan extraña, pensó.

–¿Y tú? ¿Dónde vives tú? –le preguntó la niña.

–En el infierno. O algo parecido.

Ella sonrió mostrando un par de mellas. El cambio de dentición, se dijo Tejada; tiempo para perder la inocencia. La noche de Vado –taciturna, sin brillos– los iba envolviendo poco a poco. Ni una sola luz se encendió en ninguna ventana. La niña murmuró que debía irse. Su padre la esperaba. Tifón volvería solo después, explicó, aunque Tejada no le había preguntado por el perro.

–Bien, Miguel. Espero verte de nuevo en otro momento.

–Claro –asintió ella. Después se acercó a él y entrecerró los ojos, haciendo un esfuerzo por recordar–. Una vez tuve una foto tuya.

–Ya lo sé. Ambos nos conocemos desde hace mucho tiempo.

La puerta del cobertizo se abrió con un chirrido. Un rayo de luz entró revelando las formas ocultas en la oscuridad. Los tonos grises se cubrieron de colores parduscos mientras Tejada y el Viejo parpadeaban para aclarar la visión. En una esquina estaban apiladas todas las herramientas de jardinería: rastrillos, escobas, podadoras, una cortacésped para los bordes, un par de motosierras y desbrozadoras, un aspirador de hojas secas y una colección de tijeras de distintos tamaños colgadas en la pared. En la otra parte del cobertizo había un colchón sin sábanas y botellas tiradas por el suelo. Un par de ratones corrieron a esconderse tras unos tablones y hubo un aleteo siniestro en el tejado. En el aire se sentía un rumor constante, como de aparato eléctrico en suspensión. No había nadie a la vista.

Según se enteró Tejada más tarde, Catalino Fernández dormía allí no porque se lo hubiesen prohibido en la residencia, sino porque así lo había escogido. Se le hinchaban los carrillos hablando de la libertad y de la ausencia de ataduras, pero también de vaticinios terribles que habrían de cumplirse tarde o temprano. No se fiaba de nadie; su mirada era siempre lateral y huidiza; para él todos eran enemigos que se aferrarían al cuello del contrario en el momento final, sin compasión alguna. Los plazos se acortaban, el derrumbe se aproximaba y él prefería apurar todas las copas.

Bien, se dijo Tejada, mejor o peor, ésa era su alternativa. Una alternativa poco apetecible: unos huyen de Vado y otros se refugian en los rincones más míseros. No, nada apetecible: allí dentro el calor era aún más sofocante que fuera y olía a podrido. No había ventilación, salvo por un pequeño respiradero en el techo que daba la impresión de estar atascado. Mientras lo inspeccionaba, el Viejo se agarró a su brazo con las manos huesudas.

–He aquí lo que le dije –susurró–. El antro del pecado. Aquí se cometen los pecados más terribles.

Tejada observó sus ojos legañosos y opacos. Aquel viejo huesudo tenía una salud excelente, pero no tardaría mucho en volverse ciego. Era curioso que en ninguna de sus profecías se hubiera anticipado a esa realidad.

—Yo diría que aquí sólo vienen a dormir. Y a beber —añadió dando una patada a una lata de cerveza vacía.

—¿Qué haremos entonces? —preguntó el Viejo—. El alcohol es una de las herramientas favoritas del Diablo.

—Echaremos el candado definitivo. Así nadie más podrá traspasar esta barrera. Impediremos no sólo el pecado, sino su tentación. Asfixiaremos a las alimañas que fornican y procrean en este lugar. Acabaremos con su corrupción.

El Viejo tembló de placer. En los últimos tiempos vivía en exclusiva por y para Tejada. Incluso se había olvidado de la Clueca. Cuando la vieja lo provocaba desde su silla de ruedas, él fingía no verla y seguía murmurando para sí sus discursos. También había dejado de alimentarse. Escondía la comida en los bolsillos y luego se la arrojaba a los pájaros sintiéndose un instrumento de la providencia. A su edad casi centenaria ensayaba con entusiasmo infantil los ritos del ascetismo y se postraba en éxtasis visionarios que lo hacían levitar espiritualmente y reír hasta las lágrimas —en realidad, de pura hambre—. Sólo caía rendido ante el chocolate, que chupeteaba con su lengua reseca porque ya no podía soportar el roce de la dentadura postiza en las encías.

—Doctor Majada —anunció ceremoniosamente—, usted heredará mis bienes. He recibido instrucciones *pricisas* para hacerlo.

–¿Instrucciones de quién?

–De arriba. –El Viejo alzó la cabeza hacia el cielo. Se le marcaron los tendones del cuello en torno a los pellejos de su carne. Tejada pensó que era como una rapaz, una tortuga, un pez agonizante.

–Eso está bien –dijo ocultando la risa–. La Historia lo recompensará por confiar en mí.

–Los grandes hombres siempre pasan *disapercibidos*. La sabiduría está en descubrirlos –sentenció el Viejo.

Tomados del brazo, ambos renqueantes –uno por las heridas del ataque, el otro por las de la edad–, salieron del cobertizo y enfilaron un sendero de arena. Un gato blanco y tuerto cruzó por delante maullando lastimero. Varios metros más allá, Catalino Fernández los acechaba agazapado tras unos matorrales.

Benmoussa lo estaba esperando en el Esturión. Había llevado consigo su maletín y su portátil. Simulaba leer el periódico sin despegar los ojos de la puerta. El camarero ordenaba las botellas de licores. Las había sacado de su lugar, les había quitado el polvo y ahora las colocaba de nuevo con las etiquetas hacia fuera. Su meticulosidad parecía formar parte de una concepción moral del mundo.

Tejada hizo su aparición un poco más tarde de lo normal. Daba la impresión de estar abrumado por algo: las arrugas de la frente se habían vuelto más profundas, tenía los ojos sin brillo, las mejillas verdosas y un pico de la camisa fuera del pantalón.

Saludó a Benmoussa con un leve alzamiento de cejas y se sentó a su lado. El camarero puso en marcha la ruidosa máquina de café. Durante unos minutos no se dijeron nada. Tejada cogió el periódico que Benmoussa había dejado sobre la mesa y lo estuvo hojeando entre bostezos.

—¿Se da cuenta? —preguntó al cabo de un rato el investigador—. Tampoco los periódicos hacen *ninguna* referencia.

—Supongo que evitan que cunda el desánimo. Vado podría ser un ejemplo para otras ciudades. En realidad... Vado podría ser un ejemplo para todo.

—¿Y qué hay de la gente? La gente que se marcha *allí* puede ir contando lo que sucede *aquí.*

El camarero los miró con desconfianza.

—Esto es lo que vale, jefe —dijo Tejada señalando el periódico—. Esto, y la televisión, y quizá internet. Lo que la gente diga no tiene validez. Además, resulta que la gente tampoco dice nada. ¿Cómo van a explicar que dejaron aquí a sus viejos, a sus perros, incluso a sus hijos, abandonados a su suerte? No hay mejor explicación que el silencio.

El silencio, pensó Tejada. Su propio silencio. No hay mejor explicación que el silencio, repitió, y la frase resonó en su cabeza como un eco. Recordó a aquella enfermerita mexicana imprecándole y su absurdo desmayo posterior. Ella lo había dejado abandonado en el suelo, sin contemplaciones. El pensamiento le molestaba, pero sólo era cuestión de reconvertirlo y transformarlo en otra cosa.

—He traído algunos informes que quiero enseñarle. –Benmoussa había abierto su carpeta y rebuscaba entre impresos oficiales, con sus sellos institucionales, tablas y gráficos.

Tejada se desperezó ostensiblemente. Aún le dolía el cuerpo al estirarse.

–No creo en los informes, jefe –rumió entre dientes–. No creo en los datos.

–¡Pero los datos son *incuestionables!* Mire, aquí se habla de la urbe desintegrada, se describe la curva de migraciones, se hace un registro de las *estructuras* abandonadas, incluyendo ruinas industriales, casas y edificios.

–¿Se habla de las causas?

–¡Se habla de las *consecuencias!* De los saqueos, las ocupaciones, el crimen.

–Donde hay vacío sólo hay vacío: ni siquiera existe el crimen.

Benmoussa cogió aire. Su ojo izquierdo, quizá por inseguridad, quizá por avitaminosis, comenzó a parpadear.

–Me encantaría compartir todo esto con usted. Podría leerse tranquilamente los informes y después *comentarlos.*

–No me gusta comentar. No he comentado nunca nada con nadie, ni siquiera cuando era chico. Me vine aquí para no comentar nada, para que nadie me pida que comente nada ni espere mis comentarios a nada. ¿Comentar para qué? ¿Para estar de acuerdo en todo? No me interesa, jefe, con todos mis respetos.

El camarero había dejado de limpiar y lo miraba rígido y altivo. Benmoussa se encogió de hombros, sonrió, recogió sus papeles disfrazando su inquietud con indiferencia, pidió perdón. Tejada mantuvo la cabeza inclinada mientras se rascaba detrás de las orejas. ¿Le habría pegado aquel perro flaco la sarna? Le importaba más un prurito en la piel que todos los edificios abandonados de Vado, más la sensación de ridículo que todos los crímenes del mundo, más uno solo de sus vellos en el dorso de la mano que toda la lástima que le producía el pobre de Benmoussa.

Eran más de las once cuando Ariché acabó de acostar a los viejos. Aquel día había hecho las cuentas: sólo quedaban veintidós. Cuando New Life abrió sus puertas, había trescientos residentes, otros cincuenta y cinco que pasaban el día allí pero no pernoctaban y más de quinientos en lista de espera. Ariché bostezó de cansancio; parecía que hubiesen pasado siglos desde entonces. Avanzó hacia su ala arrastrando las zapatillas. Olía a sudor, a orines, a toallitas de bebé; ella misma ni siquiera tenía tiempo para ducharse como debía. Y luego, por la noche, en su dormitorio —esa especie de celdita de monja de la que no podía escapar ni un solo día—, únicamente lograba dormir a trompicones, con miedo de que los viejitos se cayesen de la cama, sufriesen un infarto o se matasen entre ellos. Ya era absolutamente imposible hacer la guardia. Sólo quedaba cruzar los dedos e invocar a la suerte. De todos modos, si le pasaba algo a algún anciano —se decía—, no concebía que ningún familiar fuese capaz de denunciarles. Familias bien, arruinadas y embargadas, comidas por su propia avaricia, que habían avanzado hacia delante como las ratas despavoridas que corren ante el fuego. Ariché suspiró y siguió su camino. Entonces oyó un ruido de cristales y pensó en Catalino Fernández. Corrió hasta el final del pasillo. En medio de los restos de una lámpara, estaba la Clueca en su silla, empuñando un bastón, alterada y completamente desnuda.

–Oh, Clueca, Clueca –dijo Ariché acercándose–. Qué te pasa ahora. Deberías estar acostada, soñando con los ángeles y con tu Dios bendito.

–Un hombre intentó abusar de mí. –La Clueca se apretó los enormes pechos fláccidos–. Ah, pero esto vale millones. Esto cuesta muchísimo más caro que todo eso. Mírame, Consuelito, mírame.

–No hay hombres aquí, Clueca. Has tenido un mal sueño.

–¿Cómo que no? Vaya si lo había. Lo destrocé con esto –dijo alzando el bastón–. Le di bien en los huevos. ¿No escuchaste cómo gritaba, Consuelito?

–Hiciste bien, pero ahora ya se fue. Vayamos a la cama.

La lámpara se había trizado en cristales finísimos. Ariché se llevó a la Clueca, evitando que se cortase. El polvo de cristal brillaba con un resplandor extraño, desasosegante. Al mirarlo, Ariché se sintió invadida por el resentimiento. Agarró a la Clueca con firmeza, pero ella no recobraba su tranquilidad tan fácilmente. Enrabietada y rencorosa, soltaba maldiciones hacia Tejada. Sus palabras chocaban contra las paredes, se amplificaban, restallaban en la cabeza de Ariché.

—Oh, vamos, Clueca. ¿Por qué no olvidas ya al doctor Tejada? ¿Qué te ha hecho él?

—¡Todos queréis que lo olvide! ¿También tú, Consuelito? —La Clueca se removió con furia en su silla—. ¿También tú? ¡Qué miserables todos! ¡Miserables, ruines, malnacidos!

La ayudó a ponerse el camisón y la metió en la cama. Esta vez dudó en dejarle la silla cerca. La Clueca estaba tan fuerte que podía volverse a subir ella sola. Pero si se la apartaba, se pasaría gritando toda la noche. Le retiró el pelo de la frente y le pidió que se tranquilizara. Entonces vio que la Clueca lloraba; vertía lágrimas sin ruido, sin siquiera mover el mentón ni cerrar los párpados.

—¿Qué te pasa, mujer? No llores, Clueca, todo va a ir bien.

—Ese hombre me quitó a mi hijito, ese hombre me mató a mi niño...

—¿Qué hombre? ¿Qué dices, Clueca?

—El hombre..., el doctor Tejada..., ellos me obligaron, Consuelito. Tú sabes que ellos me obligaron. Yo no quería..., yo no... —La Clueca tuvo un escalofrío—. Yo quería que mi hijito naciera. Yo quería cuidar de mi hijito. Ellos me obligaron.

La luz nocturna inundaba el rostro de la Clueca, dibujando su sufrimiento en cada arruga. Aferraba con desesperación a su peluche Pérez, arrancándole pelusas con los dedos agarrotados por la artrosis.

—¿Cuántos años tenías, Clueca?

—Diecinueve. Tenía diecinueve. Podía tener a mi niño, podía cuidarlo. Pero vino el doctor con su bata blanca y me lo quitó... Después no podré tener más niños. Me dejará hueca, me dejará vacía por dentro, no podré tener más niños...

–Tranquila, Clueca, tranquila... Ya pasó todo...

Ariché tapó a la Clueca y permaneció junto a ella hasta que se quedó dormida. Los hipidos de la vieja fueron haciéndose más lentos, hasta transformarse en ronquidos. Ariché salió sin hacer ruido, fue por un cepillo, barrió los cristales, limpió el suelo. Familias devoradas por vuestra propia codicia, se dijo después en su cama solitaria, sólo sabéis engendrar monstruos. Pero tampoco yo tendré un hijito; pariré otro monstruo, el monstruo de esta época.

Desde entonces, cada vez que el tren cruzaba sobre el puerto, Tejada abría los ojos y escrutaba a través de la ventanilla. Los colores del agua –verdes, azules y pardos–, embellecidos por la lejanía, desplegaban una turbadora y amarga belleza que le atacaba directamente en un punto maltrecho del estómago. Alguna vez, con suerte, distinguía una silueta de perro –ninguno tan flaco como Tifón–; otras, la de algún paseante solitario –nunca la niña–; aguzando la vista, quizá, una mancha verde botella en la margen izquierda del río, que muy bien pudiera ser el *Melisa* balanceándose por la corriente. Tejada sabía que a esas horas era difícil encontrar a la niña: en el trayecto de la mañana, bajo el sol aún tibio, porque estaría en la escuela entre pupitres vacíos; por la tarde, al anochecer, porque era probable que ya hubiese vuelto a casa con la maleta lle-

na de basura. Para verla era mejor bajarse en Bocamanga a media tarde y esperarla en la plaza, lugar de
paso para Pozolán. Eso lo obligaba a salir antes de la
residencia, cuestión que no le producía resquemor alguno. Al fin y al cabo, no tenía que dar cuentas a nadie, ni siquiera a sí mismo.

Catalino Fernández se aferraba al auricular con
una fuerza desproporcionada. Mientras hablaba miraba hacia los lados con los ojos desorbitados, la espalda curvada como la de un buitre al acecho, el vientre
fuera.
    –Tengo grabaciones y puedo demostrarlo –susu-
rró–. Por las pruebas no habrá problemas.

Acodado en la barandilla del balconcillo, Tejada
contaba las plantas del edificio de enfrente. Benmoussa le había explicado que aquella mole era la
Torre Grady y que su nombre se debía a Albert
Grady, el arquitecto que la diseñó. Según Benmoussa, todos los edificios con el sello Grady se caracteri-
zaban por la ausencia de aleros y cornisas. La Torre
Grady ostentaba una uniformidad pasmosa que confundía a los ojos y a la lógica. Tejada tuvo que reco-
menzar varias veces hasta que finalmente logró contar
veintiuna plantas. Una sencilla multiplicación basta-
ba para calcular el número de ventanas: quince por
planta, descontando la planta baja, daban un total de
trescientas ventanas sólo en la fachada. Así que el edi-

ficio estaba por completo perforado por pequeños agujeros que únicamente se diferenciaban entre sí por estar encendidos o apagados. Se sintió mareado, pero siguió con sus cálculos: de las trescientas ventanas, esa noche sólo había luz en treinta y ocho. Una proporción que hubiese sido esperable si se tratara de un edificio de oficinas. Pero la Torre Grady era un bloque residencial, un conglomerado de apartamentos de lujo para ejecutivos de lujo cuyas familias vivían en adorables chalés de lujo de las afueras.

Entró en su habitación y se tumbó en la cama. La mujer del kimono había olvidado un paquete de cigarrillos sobre la mesita de noche. Tomó uno y lo estuvo contemplando unos segundos. Hacía años que había dejado de fumar. Lo encendió, le dio varias caladas y después lo aplastó directamente en la mesita. Se levantó y dio varias vueltas. Se rascó excitado la cabeza; se estaba haciendo heridas en el cuero cabelludo. Se mojó el pelo, se sentó de nuevo, estiró las piernas, suspiró dos o tres veces seguidas. Finalmente cogió su móvil y marcó un número. Mientras esperaba notó cómo el pulso se le aceleraba incluso en la entrepierna. Al otro lado tardaron en contestar.

–Hola –dijo al fin, algo sobresaltado–. Soy Francisco Tejada. Lamento llamar a esta hora.

–...

–Ya, gracias. Trabajo hasta tarde. Sí, bastante liado. Muchísimos problemas. La gente aquí es..., bueno, es absorbente. Y además hace un calor de mil demonios.

–...

–En realidad llamaba justo por eso. Me gustaría saber... –titubeó– cómo está. O, mejor dicho, dónde está. Y con quién.

–...

–No, no, de momento no hay novedades. Imagino que los trámites son lentos. Pero me localizarán en cuanto se pongan a ello. No busco esconderme, sino coger aire. Ya sabes.

–...

–Ah, no, ningún problema. Habla con Negroni. Sí, sí, en las mismas oficinas de siempre. Es un hombre de absoluta confianza. Lo conociste, lo conociste, claro que lo..., ¿recuerdas? Sí, hombre, habías venido a verme y... la chica, la secretaria, bueno, recuerdas, me comentaste que tenía un buen polvo. Sí, estaba buena, vaya si lo estaba.

–...

–Espero entonces nuevas noticias. No, no llamaré más, de momento. Hoy... era sólo que..., no sé..., este calor me pone nervioso. Además me pica todo el cuerpo.

–...

–Qué sé yo..., los mosquitos, el polvo... Le pasa a todo el mundo.

–...

–Bien, bien, gracias, quedamos en eso. Hasta pronto.

Colgó y se quedó absorto, sin soltar el móvil, la mirada perdida en un punto indeterminado de la pared. Después levantó el auricular del interfono. Marcó distintas extensiones, pero nadie contestó a ninguna. Maldijo en voz alta. Joder, doña Kimono, hoy no puedo estar solo, gritó. ¿Dónde carajo te has metido? Aunque sea esta mujer, pensó, como si no quedase otra en el mundo, como si yo tampoco mereciese nada mejor. Sin vestirse, con los calzoncillos húmedos y raídos, salió a los pasillos y recorrió arriba y abajo las plantas del hotel, llamando a las puertas de todas las habitaciones, pateando los suelos enmoquetados, invocando a las sombras, inútilmente, nerviosamente, sin respuesta.

4. LA GANGRENA

Encontrarse en la plaza de Bocamanga cada dos o tres días se convirtió en la costumbre, aunque nunca lo acordaran así y ni siquiera pudiesen explicar por qué lo hacían. Tejada abandonaba un par de horas antes su despacho en New Life y se marchaba apresurado, cruzando los jardines sin mirar a nadie. El Viejo, de lejos, lo llamaba sin éxito; la Clueca levantaba su bastón y salivaba insultos; él, sin inmutarse, salía por la verja haciéndose el sordo y el mudo, hasta el día siguiente, ante el descontento de Ariché y la sonrisa desdeñosa de Catalino Fernández. Después, el calor en el tren, el ronroneo de las estaciones y el paisaje que ya no sorprendía, hasta llegar a la parada de Bocamanga, el andén, el camino, la plaza, el banco, y allí la niñita balanceando los pies, con su maleta –la maleta de ambos– arrumbada en el suelo, y Tifón un poco más allá, jadeante, con las costillas marcadas y su pecho blanco cada vez menos blanco.

—¿Qué me has traído? —preguntaba la niña palmoteando.

Tejada le mostraba sus regalos: un fonendoscopio roto, un paquete de vendas, una caja de guantes de látex, caramelos para la tos, un gotero. La niña lo guardaba todo ordenadamente en su maleta y le explicaba dónde pondría cada objeto cuando llegase a su casa.

—¿No te preguntan tus padres de dónde sacas todo esto?

—No, no dicen nada. Mi madre nunca sale de la habitación. Y mi padre tiene que cuidarla; casi no tiene tiempo.

—¿Tu madre nunca sale de la habitación?

—Está enferma. ¿Es que nunca crees lo que te digo?

Tejada no quería convertir sus encuentros en interrogatorios, pero sentía una extraña curiosidad por conocer los entresijos de la vida de aquella criatura. Poco a poco fue averiguando algunas cosas: que no tenía hermanos, que el padre trabajaba en Cojinex, una fábrica de cojinetes de fricción —una de las pocas que aún resistía en Vado—, que la madre llevaba varios meses guardando cama, que el padre no quería que la niña se quedase a solas con la madre cuando él estaba fuera y que por eso prefería que saliese a jugar con sus amigas a la calle, que el padre no sabía que a ella ya no le quedaban amigas con las que jugar pero que si se enteraba de que iba cada tarde al río se enfadaría muchísimo, sobre todo porque para llegar hasta el puerto tenía que cruzar la zona de Bocamanga, lugar prohibido para una niña. Tejada le pidió que, por si acaso, tampoco le contase que lo había conocido a él.

–Claro que no. A ver si te crees que soy tonto –dijo ella.

–Querrás decir tonta.

–No, tonto. Tonto. Soy un niño, ¿recuerdas?

Paseaban hasta el puerto con pasos cortos y perezosos; después, cuando se ponía el sol, Tejada la acompañaba hasta el comienzo de Pozolán. La niña le enseñó el *Melisa* y Tejada leyó el lema que alguien había escrito con esmero, SIEMPRE CONTIGO, y recordó todas las veces que él le había dicho aquellas palabras a Elena y todas las que ella se las había dicho a él. Aquellos recuerdos, auténticas punzadas en el vientre, se mitigaban un poco en compañía de la niña. La inquietante vista del puerto decadente también se embellecía gracias a ella. La niña se le hizo absolutamente necesaria; si aún quedaba alguna esperanza en Vado era ella la que podía desentrañarlo. Tejada la buscaba como un pez falto de agua, un pez que se voltea con desesperación a uno y otro lado. La buscaba para no perecer de asfixia o de locura. Hasta empezó a sentir simpatía por el galgo viejo y enfermo, un perro tan inútil que, con toda probabilidad, también habría sido abandonado incluso en los tiempos más prósperos de Vado.

Aquella mañana se levantó tarde; caminó hacia el Esturión sin apuro, renegando para sus adentros de New Life, de Vado, de las huidas y su inutilidad. An-

112

tes de entrar en el bar escuchó la voz de Benmoussa que discurseaba, con sus terminaciones agudas y absurdas. Esperó un momento, acomodando su oído a aquella voz que detestaba, sopesando la posibilidad de dar la vuelta. El camarero lo vio y se volvió hacia la máquina de café sin esperar ninguna orden. Tejada avanzó al interior. Miró primero los zapatos Martinelli, después los pantalones grises de alpaca, el menudo cuerpo rígido en la silla, la expresión infantil y entusiasta, las gafitas de aire en el cráneo estrecho y alargado.

–Tejada –murmuró Benmoussa balanceando la cabeza, con una risilla gutural.

–Así me llaman.

–Menos mal que ha venido. Pensé que ya no lo vería hoy. Es *mucho* lo que tengo que contarle.

Tejada tomó asiento y se quedó con las piernas separadas, la camisa arremangada, los peludos brazos al aire.

–¿Qué tiene que contarme, jefe? Hace un bochorno de mil demonios.

–He terminado un informe sobre nuevos departamentos y oficinas institucionales. Un informe *confidencial.*

El camarero puso el desayuno bajo las narices de Tejada. Él ni siquiera se inmutó. Miró al frente y trató de vaciar sus ojos de interés. Benmoussa siguió hablando.

–Estas oficinas se crean de manera *secreta.* Están, pero no se habla de ellas. Actúan, supongo, pero nadie conoce sus *efectos.*

Enumeró la ORAP, una Oficina específica para la Retirada de Alimentos y otros Artículos Perecederos de los supermercados que cerraban de un día para otro; la OSADA, Oficina para el Sacrificio de Animales Domésticos Abandonados; la ORVA, para la Retirada de la vía pública de Vehículos sin dueño conocido; el DELICRI, un Departamento para la Limpieza Inmediata de Cristales en zonas semihabitadas; e incluso nombró la creación de un tribunal especializado en juicios rápidos para delitos de pillaje y saqueos. También habló de la OSUPEA, la Oficina para el Salvamento Urgente y Provisional de Empresas Abandonadas, con sede en la Torre Grady, planta trece.

–¿Salvamento de empresas? –preguntó Tejada.

A Benmoussa se le iluminaron los ojos. Esa curiosidad era justo lo que había estado esperando.

–Se trata de un organismo que... actúa ante el caos en que quedan sumidas muchas empresas cuando sus dueños y *dirigentes* se marchan de Vado. Negocios que... no terminan de cerrar del todo... es decir –Benmoussa se detuvo unos instantes, cavilante–, conservan empleados o clientes, pero no la *organización* ni ningún tipo de administración o de órgano de gestión. La OSUPEA libera créditos rápidos para la solución de los problemas más perentorios... obviamente, dado que los empresarios no han pedido esos créditos, no pueden verse en la obligación de devolverlos, de modo que si las empresas consiguen reflotar, ellos pierden prácticamente todos sus derechos.

–Entonces es una especie de municipalización...,

la empresa pasa a ser propiedad del ente público, ¿no? –reflexionó Tejada.

Benmoussa asintió con entusiasmo.

–Y está en la Torre Grady –añadió–. Justo *enfrente* de nuestro hotel.

–Sí, ya lo he oído. ¿Por qué en un edificio de viviendas?

–Precisamente porque, como todas las demás que le he dicho, es una oficina secreta, a la que no se quiere dar demasiada publicidad. Su fin es meramente práctico, parcheador, higienizante; *nunca* serían anunciadas en una campaña electoral. Por eso, el ayuntamiento no quiere crear dependencias específicas ni modificar su *organigrama*. Todas ellas dejarán de tener sentido tarde o temprano.

Tejada rió. Todo iba a dejar de tener sentido tarde o temprano, eso estaba claro. Pero el azar había dispuesto bien su jugada.

El portero de la Torre Grady le dio el alto en cuanto entró en el edificio.

–Un momento, necesito que se identifique.

Tejada le mostró su documentación y esperó inspeccionando las placas de los buzones. Había multitud de ellos, marcados solamente con un número. El vestíbulo estaba sumido en una oscuridad casi completa. El aire no circulaba; todo olía a saturación, a humedad comprimida.

–¿Adónde se dirige? –preguntó el portero, los hombros combados, las piernas muy abiertas.

–A la OSUPEA.

Ante su cara de extrañeza, Tejada se apresuró a explicar de qué se trataba. Le llevó unos dos minutos. Cuando acabó, el portero no había cambiado su expresión.

–Mire, a mí eso no me suena de nada. –Frunció los labios en un gesto irónico–. Si quiere puede ir planta por planta a ver si encuentra lo que busca.

–No será necesario –dijo Tejada con suficiencia–. Sé que está en la trece.

–Ah, no, entonces claramente se equivoca. En la trece no hay nadie ahora. Planta vacía. –Mostró la palma de la mano, rotunda.

–Bien, déjeme que lo compruebe por mí mismo.

Se encaminó a los ascensores ante la mirada desdeñosa del portero. Qué pronto se crean reyes de reinos sin súbditos, pensó. Poderosos de tierras sin terrenos. Jefecillos de la nada. Él mismo, sin ir más lejos, podía ser considerado uno de ellos. Suspiró y esperó al único ascensor que funcionaba. Sobre los otros dos había sendos carteles escritos a mano: *fuera de funcionamiento, out of service, tombé en panne, aus arbeiten.* El ascensor bajó vacío y Tejada subió hasta la trece. Nadie entró ni salió, no se cruzó con nadie en los pasillos ni oyó ruido alguno. ¿Sucedería lo mismo que en el Madison Lenox? ¿Un edificio fantasma con un guardián de fuste? ¿Qué significaban entonces las treinta y tantas ventanas que se encendían todas las noches?

Avanzó un poco más a lo largo del pasillo, giró la esquina y se topó con una limpiadora curvada sobre una fregona. Buenos días, le dijo. Ella no se inmutó. Buenos días, le gritó, acercándose. La limpiadora se volvió sacándose un auricular de la oreja. Lo miró tranquila, sin asustarse, sin preguntarse qué demonios hacía allí aquel tipo. Tenía ojillos pequeños, saltones, inexpresivos, y profundas arrugas que iban desde las aletas de la nariz a las comisuras de los labios. No, no le sonaba nada de *osupén,* dijo. OSUPEA, rectificó Tejada. O de *supea,* daba igual, insistió ella; no le sonaba; no al menos en aquella planta. La mujer continuó mirándolo sin decir nada. Él pensó en el portero. La idea de regalarle una victoria, aunque fuese una victoria tan pequeña, lo llevó a mascullar una maldición. Entonces la limpiadora habló.

–Ahora recuerdo que... –se sacó el otro auricular y mascó chicle, pensativa–, recuerdo que hace unas semanas estuvieron por aquí de mudanza unos señores. No eran inquilinos normales. Parecían de un bufete de abogados. Creo que se fueron a la diecisiete. Pero no estoy muy segura.

Tejada dio las gracias y subió por las escaleras cuatro plantas más. Después recorrió un estrecho pasillo que daba la vuelta en torno a un patio interior acristalado. Se sintió como un topo en un túnel, o una de esas cobayas cuya libertad está ceñida a la longitud de los tubos de plástico de su jaula. Uno podía ir a derecha o izquierda indistintamente: el camino era el mismo. Las puertas –metálicas y duras, como incrustadas sobre las paredes– tenían una chapita con un número claveteada junto al timbre. A juzgar por la distancia entre una y otra, los apartamentos debían

117

de ser diminutos. Lujosos pero diminutos. *Chic* era la palabra que definía esa realidad, se dijo Tejada. Todo muy *chic,* pero en el pasado. Ahora aquello tenía el aire deprimente de una película de terror de serie B. En cualquier momento, de entre las sombras, podría salir una vieja ensangrentada escupiendo maldiciones diabólicas –pensó en la Clueca– o un psicópata armado con unas tijeras de podar –ahora pensó en Catalino Fernández–. Pero no iba a aparecer nadie. Por allí, a aquellas horas, paraba poca gente. Edificio-dormitorio de ejecutivos en peligro de extinción. Caja de lujo. Envoltorio Grady, uniformado, nivelado, seguro. Tejada recordó una antigua canción infantil: *Los chicos de la cárcel regresan a dormir, a dormir, a dormir...* Sí, aquello también tenía un poco de cárcel. El ceniciento patio interior. Los suelos, que habrían sido brillantes algún día, ahora rayados por las mudanzas: muebles arrastrándose, carretillas con cajas y todo lo demás. Las plantas que habían adornado los largos pasillos, secas; los maceteros, rotos. Sólo sobrevivía con dignidad extemporánea una drácena con las puntas chamuscadas por la falta de agua. Había colillas por el suelo y marcas de zapatos en las paredes. Un poco más allá alguien había escrito una frase con tinta roja: *Y todas las aguas que había en el río se convirtieron en sangre,* y más abajo, en otra letra distinta: *Éxodo 7:20.*

Se detuvo a pensar: en medio de todo aquello, ¿qué sentido tenía la limpiadora? Aquel edificio no parecía haber sido cuidado desde hacía algún tiempo. ¿Había sido un fantasma? ¿Lo de la planta diecisiete

118

era también una broma? ¿Qué sentido tenía él mismo allí? El rescate financiero de la residencia le daba igual. Tampoco que los empleados cobraran o no sus sueldos, o estar él mismo sin blanca, le importaba lo más mínimo. Al fin y al cabo, en una ciudad como aquélla el dinero no era demasiado necesario. Pero visitar la OSUPEA, mover algún papelajo y hacer gestiones burocráticas que no le llevaran mucho tiempo serviría para que esa enfermerita mexicana le tuviera algo más en cuenta. Ganársela para luego perderla, pensó.

Rió y su risa retumbó entre las paredes, rodeándolo. Entonces oyó también unas risas femeninas, lejanas, como si el eco hubiese transformado su propia carcajada en la de las mujeres que habría deseado abrazar. Aguzó los oídos. Sí, eran risas, sin duda, y voces, y no estaban demasiado lejos, quizá a la vuelta del pasillo. Avanzó un poco más, giró a la izquierda y se encontró con la extraña imagen de una puerta abierta. Las voces salían de ella como agua de una piedra, con la misma extrañeza. Se aproximó con lentitud, se asomó sin ver a nadie y golpeó suavemente con los nudillos en el marco. Una mujer gordita de piel muy blanca apareció con los ojos llorosos por las carcajadas.

–¿Buscas a alguien?

Confuso, Tejada preguntó por la OSUPEA.

–¿La Osupea? –La mujer rió encogiendo los hombros y mirándolo de arriba abajo–. ¿Quién es la Osupea? ¿Así se llama alguien?

–No. Hablo de la Oficina para el Salvamento Urgente y Provisional de Empresas Abandonadas –recitó él, muy serio.

–Estás de broma.

Otra mujer, morena e igualmente gordita, había salido a mirar. Tenía una toquilla en la mano, unas agujas de punto y la misma piel impecable que la primera. Parecían hermanas, hermanas bien avenidas.

–En absoluto –dijo Tejada deseándolas casi sin darse cuenta–. Es una oficina municipal que está en este edificio, aunque no sé dónde exactamente.

Les preguntó si había otro apartamento habitado en aquella planta. Ambas asintieron al unísono. Sí, afirmaron, había un par de ellos. Y quizá él tenía razón. Hacía unas tres semanas habían ocupado uno varias puertas más allá. Metieron una mesa de oficina, estanterías de metal, archivadores, un ordenador. De vez en cuando iba por allí un *tío,* explicaron, un tipo calvo y con bigotito, más bien aburrido.

–El típico funcionario que tuvo una vez un carguito y ahora ha sido destituido –añadió la morena, señalando con sus agujas–. Un tipo sosísimo. Ni siquiera da los buenos días.

Tejada dio las gracias y continuó pasillo abajo hacia donde le habían indicado. No siempre está, le advirtieron las dos cabezas desde la puerta. En efecto, nadie respondió al timbre. Esperó unos instantes; las dos hermanas seguían asomadas mirándole. Tejada les preguntó: ¿les importaría a ellas darle una tarjeta suya al funcionario-que-tuvo-un-carguito-y-ahora-está-destituido? ¿Podrían decirle que por favor le llamara, que era una situación de extrema urgencia? En el caso, cla-

120

ro está, de que estuviese a cargo de la OSUPEA; eso
también tendrían que preguntárselo. Le harían un
grandísimo favor.

—¡Faltaría más! —exclamó la rubia. Tenía las mejillas redondas y brillantes y unos hoyuelos blandos en
los codos. Sonrió—. ¿Quieres unas galletas? Acabamos
de preparar café.

Sí, dijo él sin pensarlo. Qué más daba, si al fin y
al cabo estaba ya todo perdido. ¿Volver a New Life
para dormitar entre expedientes caducados? Pensó
en las aspas del ventilador a un metro de su calva y el
recuerdo de aquel soplo se le hizo insoportable. Las
mujeres le hicieron pasar, lo sentaron en un sillón
anatómico con paños de ganchillo en los reposabrazos y le ofrecieron café caliente y galletas de canela.
El apartamento estaba decorado con cuadros de pai-
sajes alpinos, muñequitas folclóricas, *souvenirs* de viajes y un aparador de madera repleto de tazas de loza.
Sobre el suelo, retales, cestas con ovillos y alfileteros.
Aquello formaba una desconcertante mezcla entre lo
kitsch y lo nostálgico, entre lo ochentero y lo *revival,*
entre lo *vintage* y lo puramente anticuado. Las mujeres continuaron con sus labores, moviendo las agujas
mientras le explicaban que vendían prendas para bebés en mercerías de lujo —arrullitos, patucos, batones,
ranitas, palabras cuyo significado él desconocía—.
Una insólita forma de ganarse la vida, pensó él: vestir
a recién nacidos en una ciudad en la que ya no nacía
nadie.

Pasó con ellas unas dos o tres horas. No tardó
mucho en darse cuenta de que las mujeres no eran

precisamente hermanas: en un momento dado se besaron con majestuosidad ante él y la morena le acarició un pecho a la rubia sin dejar de mirarlo. Tejada sonrió y quedó expectante, aunque tras el beso ellas continuaron con sus labores y su cháchara, como si nada hubiese sucedido. Él pensó que quizá había sido otra visión, fruto del calor y la confusión. Unas nubes plomizas ocultaron el sol. Desde algún lugar se oía el sonido de un televisor..., ¿quizá sí había vecinos? Se sintió mareado; se levantó y se sentó varias veces. Finalmente tomó fuerzas, se despidió y salió. Otra vez ascensor y planta baja. El portero lo miró desafiante, bañado en sudor.

–¿Encontró el sitio que buscaba?

–Oh, sí, ya lo creo que sí –respondió Tejada.

El Viejo apretó la mandíbula y se enfrentó al hijo.

–Todo será para el doctor Majada. Él es el elegido.

El hijo miró a su mujer; la mujer miró al Viejo; ambos se miraron entre sí con desconcierto.

–Las plagas ya no son de langostas –continuó el Viejo, obstinado–. Ya no llueven del cielo. Ahora entran a través de la televisión e infectan a los lujuriosos, a los *invidiosos,* a los que acumulan riquezas. El mal se extiende como aceite negro, flujo *minstrual,* restos de una fecundación *incistuosa.* Necesitamos una limpieza, una desinfección total. Pero no es tarea para cualquiera. El doctor Majada ha sido destinado como *artéfice* del cambio. Él me lo ha prometido: va a expulsarlos a todos de aquí. Quedaremos los ciento once elegidos. Los distinguidos, los limpios. ¡Somos la preferencia de Dios!

—Papá —interrumpió el hijo—. Tienes que tranquilizarte. Quizá deberías caminar un poco más, hablar con la gente, jugar a las cartas, hacer taichí, qué sé yo...

Su mujer le puso una mano sobre el brazo y lo observó con preocupación. La pareja superaba la cincuentena. Ambos estaban delgados, bronceados, arrugados con distinción y bien vestidos. Se parecían extrañamente entre sí, como sucede con los matrimonios que se odian con constancia durante muchos años. De pie, apoyado en el quicio de la puerta, a Catalino Fernández le bailaba una mueca en los labios. Esperaba con atención, los ojos febriles. El hijo se volvió hacia él y lo miró interrogante. Catalino le hizo un gesto con el índice para que se le acercase. La nuera se quedó sola con el Viejo. Desorientada, intentó cogerle la mano, pero él se la despreció con un gruñido. La mujer lo miró sin saber muy bien qué hacer, hasta que decidió unirse a los otros.

—El propio Tejada tiene toda la culpa —afirmaba Catalino Fernández—. Él ha alimentado esos delirios. Se ha vendido ante él como un Mesías. Desde el principio buscaba convertirse en heredero. Tengo grabaciones que lo demuestran.

—Sí, claro. Pero el problema ahora es saber si mi padre está en condiciones de modificar el testamento. Si una modificación tendría validez, quiero decir...

—¡No puede dejárselo todo de pronto a un tipo que acaba de conocer! —chilló la mujer fuera de sí—. ¡No tiene ningún sentido!

–Es lo que él va buscando –dijo Catalino–. Y, como saben, la validez de los testamentos depende de la salud mental del paciente... Diagnóstico que en este caso podría modificar hábilmente el doctor Tejada. Ustedes no saben lo maquiavélico que puede llegar a ser este hombre. Porque a día de hoy su padre no tiene..., no ha tenido diagnosticado nunca ningún trastorno, ¿verdad?

–No. –El hijo negó tristemente con la cabeza–. Siempre ha sido un poco especial. Exagerado, demagogo, mesiánico, profético, ya me entiende. Ha leído demasiadas pamplinas y no se ha adaptado bien al mundo. Pero esto ya se ha ido de las manos.

–¡Es él el que está haciendo que se vaya de las manos! ¡No se trata del Viejo, sino del doctor, que lo está manipulando! –interrumpió Catalino. La mujer asentía con firmeza–. ¡Él es el único culpable! ¡No descartaría incluso que haya modificado la medicación de su padre para provocarle un paro cardiaco y acelerar su muerte! ¿No ve el bajón que ha pegado?

En su desvencijada mecedora, el Viejo se balanceaba con la mirada perdida. Murmuraba palabras crueles, inaudibles. Su piel tenía un tono traslúcido y en torno a las cuencas de los ojos se le habían formado manchas amoratadas. El hijo lo observó pensativo y luego anunció:

–Nos lo llevamos de aquí.

Catalino Fernández abrió los ojos con sorpresa.

–¿No van a denunciarlo?

–No. Nos lo llevamos y punto. Problema resuelto.

124

—¡Pero deberían desenmascarar a ese farsante! Hoy lo hizo con su padre, ¡mañana puede hacerlo con otros! Ese hombre es un peligro aquí. Lo llaman..., ¿saben cómo lo llaman? ¡Lo llaman el Mataviejas! Tendrían que ayudarme a echarlo de aquí. ¡Alguien tiene que hacer algo ante este abuso!

La mujer miró a su marido y ambos se encogieron de hombros. Qué podían hacer ellos, dijeron. En aquellos tiempos cada uno salvaba su propio pellejo. Ya les iba a suponer mucho esfuerzo llevarse de allí al anciano. Bastante problema tenían con lo suyo como para preocuparse por lo de los demás. Que cada palo aguante su vela. Cada polluelo a su nido. Etc.

Catalino Fernández los miró con fiereza y se dio la vuelta. Estúpidos, murmuró por el pasillo. Estúpidos, ingratos, egoístas... Desgranaba las palabras con cada paso, marcando el ritmo con el vaivén de sus manos agarrotadas.

Lo malo de ir al Sunrise Village era que Tifón no podría acompañarlos, se quejó la niña.

—Me sabe mal dejarlo solo —dijo cogiendo de la mano a Tejada.

Tejada le había propuesto pasar la mañana del domingo en el centro comercial que había visto el primer día desde la autopista. Sabía que el casino, el parque temático y la mayoría de los restaurantes de Nuevo Vado habían quebrado, pero el Sunrise Village aún seguía abierto. Desde los primeros días, le llamaron la atención los coches diseminados en el gigantesco aparcamiento. Cuando le preguntó a Benmoussa, el marroquí le confirmó que el Sunrise mantenía una relativa actividad: un pequeño porcentaje de tiendas y algunos establecimientos de comida rápida todavía ofrecían sus servicios. El Sunrise siempre había tenido buena acogida debido a sus atracciones infantiles; quizá por eso resistía más que otros centros comerciales.

–Le diré, sabe, que es el centro comercial más grande de Vado. Es o *era,* uno no sabe ya cómo decirlo. No cierra, o *cerraba,* ningún día del año, a ninguna hora, ni siquiera en Navidad. Muchas familias tienen, o *tenían,* la costumbre de celebrar allí la Nochebuena. En la noche de fin de año se activa, o *activaba,* un gran reloj como en las plazas de las grandes ciudades.

–Y alquilarían a precios de Ritz camitas Disney para que los niños durmieran allí en Reyes –gruñó Tejada.

–No le extrañe. –Benmoussa sonrió–. ¿Quiere que hagamos una *excursión* un día? Encontraremos a quien preguntarle.

–¿Una excursión? Yo no hago excursiones con nadie, jefe.

Pero Tejada mentía. Aquella mañana, bajo el cielo plomizo, se había encontrado con la niña en la plaza de Bocamanga. Caminaron de la mano hasta la estación y esperaron el tren pacientemente. La niña, balanceando los pies en el banco, le explicó que hacía siglos que no cogía el tren. Tejada le dijo que él, en cambio, lo cogía todos los días.

Cuando llegaron a las inmediaciones del centro comercial, avanzaron cautelosos, demorándose. Aun-

126

que los accesos estaban prácticamente desiertos y había veinte plazas de aparcamiento libres por cada una ocupada, aquélla era la primera vez desde su llegada a Vado que veía a tanta gente reunida en un único lugar. Tejada pensó en New Life, en el hospital donde le atendieron tras el ataque de Tifón, en el Madison Lenox, en su paseo por el centro de la ciudad, en la Torre Grady y, sobre todo, en la desolación de Bocamanga. Sin duda, el Sunrise Village parecía pertenecer a otro mundo distinto. Había familias que aparcaban sus coches, que arrastraban sus carritos con bolsas de la compra, que llevaban a sus hijos de la mano. Tejada abrió los ojos: había niños. Incluso pudo ver una pequeña cola de vehículos que se había formado en torno a una gasolinera. Algo seguía latiendo allí, un tipo de corriente energética distinta. La niña caminaba a su lado, confusa, mirándolo todo en silencio. Tejada se sintió orgulloso de ella e incluso de sí mismo, y enseguida se avergonzó de su autocomplacencia.

A medida que recorrían las galerías comerciales, supo que se había dejado llevar por una falsa impresión. La mayoría de las tiendas estaban cerradas a cal y canto y las restantes tenían su mercancía en liquidación. Los dependientes atendían de manera descortés, bostezando y mascando chicle: pensó que lo más probable era que les hubiesen bajado el sueldo de manera proporcional al descenso de las ventas. Tejada clasificó a los clientes en dos grupos: por un lado, habitantes de Vado en situación de necesidad que aprovechaban los saldos haciendo acopio de bienes

127

antes de poder marcharse para siempre; por otro, visitantes provenientes de otras ciudades –algunos habrían recorrido incluso varios cientos de kilómetros– que también reclamaban su parte del pastel. Según le había explicado Benmoussa, el hurto se estaba extendiendo hasta entre los niños: sin vigilancia alguna, una mínima dosis de habilidad y un buen par de piernas era lo único que se necesitaba para salir del Sunrise con un botín considerable. Lo que sucedía, pensó Tejada, era que cada vez quedaban menos artículos de valor. O que el valor es un envoltorio relativo. Un día es opaco e impenetrable; al día siguiente es transparente y dúctil. Apretó la mano de la niña y siguieron adelante, buscando las atracciones infantiles.

Pero los datos de Benmoussa estaban obsoletos: la zona de juegos parecía haber cerrado hacía bastante tiempo. Un enclenque precinto indicaba que allí no había mucho que hacer; algunos niños, sin embargo, se colaban por debajo y trepaban por las atracciones inmóviles y mudas. La niña también entró. Tejada la vio hablar con otros niños, corretear entre un castillo hinchable deshinchado, montarse en una ardilla Scrat que abrazaba amorosamente a su bellota. De vez en cuando se quedaba parada, como si recordase algo muy importante, pero después continuaba con sus carreras. Bien, se dijo Tejada, allí estaba él, como un padre ajado, mirando a la chiquilla jugar con otros niños, purgando algo de la peor manera posible. Se rascó la cabeza con parsimonia. El maldito galgo, sin duda, le había pegado algo.

Más tarde miraron los escaparates, con sus bodegones absurdos de mercancías olvidadas. Sorbiendo un helado de fresa, con las mejillas sonrosadas por los juegos, la niña observó unos maniquíes desnudos tirados en el suelo de una tienda. Las muñecas revelaban un total desamparo: las miradas frías, las finas piernas cruzadas aparatosamente, las extremidades mutiladas, los senos sin pezones y el pubis sin vello.

—Así es mi madre —dijo la niña con naturalidad.

En aquellos momentos, Tejada no le dio ninguna importancia a esta frase. Le acarició la cabeza distraído y continuaron caminando.

Acodado en el balconcillo como cada noche, Tejada observaba la Torre Grady. Trataba de identificar la ventana de las dos mujeres gorditas-hermanas-amantes. Eso en el hipotético caso de que en verdad existieran, pensó numerando las plantas. Calculó la situación del ascensor y contó ventanas. Todas las de la planta diecisiete tenían la luz apagada. Contempló el dibujo que formaban en la fachada las pocas que sí estaban encendidas, un trazado similar a la curva de una ola, con su cresta en la planta veintiuna. Cerró los ojos e intentó recordarlas, como en los desafíos mnemotécnicos —una ventana sí, tres no, cuatro sí, doce no...—. Siempre había sido poco hábil para ese tipo de juegos. Cabreado, mató un mosquito que se le acababa de posar en el brazo.

—Me están comiendo vivo —refunfuñó al entrar en la habitación.

La mujer del kimono fumaba en la cama, con la mirada perdida en las telarañas del techo. El calor los atrae, dijo arrastrando las sílabas. A... los... mos...qui... tos..., añadió. Aquel día parecía más triste que de costumbre. Le había contado a Tejada, con los ojos enrojecidos y sin parar de frotarse las manos, que su padre había llamado para anunciarle el cierre próximo del Madison Lenox.

—Yo le insistí en que no era necesario, que me apañaba bien, que el número de clientes era suficiente y que todos parecían razonablemente contentos. Pero no me escuchó. Es su novia la que quiere esquilmarlo del todo. Cuando le saque toda la grasa del cuerpo, cuando lo deje como un pollo pelado, en los huesos y sin plumas, entonces lo plantará como a un espárrago.

Tejada no había dicho nada. Tampoco hubiese sabido muy bien qué decir ni qué hacer. La miró con sus ojos desprovistos de interés y se rascó de nuevo. La mujer se había quitado su kimono más por calor que por deseo. Tenía el vientre hinchado y un par de moretones en el muslo izquierdo, pero la luz del atardecer realzaba su cuerpo de un modo oscuro. Tejada había permitido que se quedase allí, prometiéndose a sí mismo que sería la última vez.

Se sentó a su lado y ella le inspeccionó con delicadeza la mordedura de Tifón. La herida se había abierto por uno de los bordes y mostraba una pequeña cantidad de pus. La mujer arrugó la nariz con repugnancia.

—Deberías ir a un médico a que viese esto.

130

–Conmigo me basto, querida. Yo soy médico.

–Es verdad. A veces lo olvido. Aquí se olvida todo.

Ella bostezó. El aliento le olía a cerveza. Quizá hacía días que no probaba bocado y se sostenía sólo con la bebida. Sin alterar el tono preguntó:

–¿Quién es Elena?

A Tejada el sudor se le enfrió de golpe sobre el rostro. Abrió la boca y dejó que su labio inferior quedase colgando unos segundos. Después habló, apresurado.

–¿Por qué? ¿Qué ha pasado? ¿Ha llamado alguien? ¿Ha dicho alguien algo? ¿Alguien ha preguntado por mí?

–No..., nada de eso... –Ella volvió a tumbarse–. La nombraste tú mismo mientras dormías. Como si tuvieras una pesadilla. Gemiste, gritaste y después lloriqueaste un poco. Y todo el tiempo nombrabas a una tal Elena.

–Elena no es nadie –atajó él con sequedad–. Es un mal sueño, ya lo has comprobado por ti misma.

La mujer se volvió hacia la pared. A lo lejos se oyó el ulular de una sirena. De ambulancia, identificó Tejada. Miró la espalda de la mujer. Una espalda combada, triste y todavía suave. Tejada la oyó musitar algo para sí.

–¿Qué dices? –preguntó.

–Que no me importaría que me llamases por mi nombre –repitió sin moverse–. Incluso aunque también fuese en un mal sueño.

Sólo entonces Tejada cayó en la cuenta de que aún no sabía cómo se llamaba aquella mujer.

131

La Clueca mecía su peluche como si fuese su propio hijo, le susurraba nanas con dulzura, apretando la pata del muñeco, que ronroneaba ante el estímulo. Catalino Fernández se acercó.

–¿Qué hay, Clueca? ¿Durmiendo a Pérez?

Ella se llevó un dedo a la boca con gesto contrariado.

–Lo vas a despertar, gilipollas.

–Oh, oh, Cluequita, pero ¿qué lengua es ésa?

La anciana se la mostró y le guiñó un ojo, divertida. Siguió acunando al muñeco, encorvándose sobre él, protegiéndolo.

–Anda, Clueca, suéltalo. ¿No ves que ya se ha dormido?

–¡Cállate de una vez!

–Mira, Clueca, déjalo ahí en su cunita. –Catalino señaló un sillón vacío–. Déjalo ahí, Clueca, tengo que contarte algo.

A la vieja le brillaron los ojos. Con cuidado, colocó a Pérez sobre un cojín y se acercó a Catalino girando las ruedas de su silla.

–¿Qué vas a hacerme, Catalino? ¿Vas a hacerme feliz esta tarde?

–Mejor que eso, Clueca, mejor que eso –rió él–. ¿Te gustaría deshacerte del doctor Tejada?

La Clueca cambió la expresión y apretó los labios. Todo el odio del mundo se acumuló en el temblor de su barbilla.

–No sabes tú cuánto.

—Ven entonces —susurró Catalino—. Te contaré.

Empujó la silla de la Clueca y se la llevó hasta el jardín. Dos gatos se peleaban a lo lejos por los restos de una bolsa de basura, arqueando el lomo y lanzándose zarpazos entre bufidos. El cielo se había teñido de magenta, con un reborde más oscuro, como de fuego.

—Pase, por favor —dijo una voz aflautada—. La puerta está abierta.

Tejada entró al apartamento. Tras una mesa blanca, oculto por una enorme pantalla de ordenador, se sentaba un tipo con la cabeza abombada como una berenjena. Llevaba un bigotito finísimo —casi la insinuación de un auténtico bigote— y tenía unos ojos lánguidos a los que parecían pesarle tremendamente los párpados. Aquél debía de ser el funcionario-que-tuvo-un-carguito-y-ahora-está-destituido. Sintió una repugnancia instintiva. Sin preámbulos, preguntó si aquéllas eran las dependencias de la OSUPEA.

—Así es —el hombre sacó de un cajón unos formularios—. Dígame, ¿dónde oyó hablar de nosotros?

Tejada no contestó. Pensaba en las mujeres del apartamento. De camino hasta allí había golpeado suavemente en su puerta, aunque sin respuesta. Aún seguía preguntándose si no formaban parte de un sueño. Y, sin embargo, allí estaba aquel funcionario que encajaba a la perfección con la descripción que le habían hecho a dúo. La insistencia del hombre lo sacó de su ensimismamiento. Dijo no recordar quién

133

le había hablado de la OSUPEA. Daba igual después de todo, ¿no? Le explicó que era el jefe de geriatría de New Life y enumeró, con todos los detalles que fue capaz de recordar o de inventar, algunos de los problemas por los que estaban pasando.

—Falta de personal, clientela tendente a la morosidad, impago de los sueldos, desmoralización y descontrol... Veo que no les falta de nada —resumió el funcionario.

—Pues no —dijo Tejada.

—Bien, veremos qué se puede hacer. Efectuaré una solicitud prioritaria para las medidas más urgentes.

—Sí, creo que es urgente.

—Vuelva dentro de dos semanas.

—Vaya. Pues no es tan urgente.

—Hay más empresas en la misma o peor situación que su residencia. Empresas de las que dependen niños, por ejemplo. Dos semanas me parece un plazo bastante razonable.

—Si usted lo cree... esperaremos dos semanas. Aunque hablamos de viejos que no cuentan con mucho margen. Piense en el impago de los sueldos. No son muchos: el de tres o cuatro enfermeros, una cocinera y uno más en lavandería. Y yo: tampoco yo he cobrado nada desde que llegué. Si el personal se marcha, dígame qué haremos con los viejos.

—Los últimos serán los primeros —respondió el funcionario con una sonrisa.

Tejada no entendió qué había querido decir, ni fingió entenderlo. Se marchó con el mismo escepticismo con el que había entrado, pero con la sensación infantil de tener los deberes hechos. Tamborileó de nuevo con los dedos en la puerta de sus amigas; tampoco esta vez respondieron. Bien, se dijo, volvamos al trabajo. Tenía una buena razón para llegar temprano y ninguna distracción para no hacerlo.

El mismo Catalino Fernández lo vio cruzar la verja aquel día con un paso distinto. Escondió la botella de Beefeater detrás de unas azaleas y se encaminó al edificio principal siguiéndole de lejos. Tejada empuñaba su maletín avanzando con decisión. Al llegar a la puerta se detuvo un momento ante la mecedora del Viejo, ahora vacía, y después entró directamente en la cocina.

La cocinera dio un respingo cuando oyó su voz.

–Disculpe, doctor, como nunca viene por aquí... ¿Quiere tomar algo? –le preguntó recogiendo a toda prisa las sobras del desayuno.

–No, muchas gracias. Quiero reunir aquí a todo el personal.

–¿Aquí? ¿Por qué aquí? –La mujer se retorció las manos–. ¿He hecho algo mal?

–No. Espero que no –contestó él muy serio.

Diez minutos después, Tejada estaba rodeado por la magra plantilla de la residencia. A su derecha, Ariché lo miraba con los ojos interrogantes. Junto a ella, otro enfermero larguirucho y pálido. A su izquierda, la cocinera y el encargado de la lavandería. Más allá, alejado de todos, Catalino Fernández y sus sempiternas tijeras de podar colgadas de la trabilla, sonriendo con la expresión ensimismada de los locos.

—Pues sí que somos pocos —dijo Tejada.

Explicó, evitando mirar a Ariché, lo que había estado haciendo aquella misma mañana. Dando pequeños saltos sobre sus talones, habló de la OSUPEA y del significado de su nombre. Habló también de las otras oficinas de nueva creación —como si las hubiese conocido todas—, les informó de las gestiones que había comenzado, les prometió soluciones y esperanzas, y por último, con la voz ahuecada y el brazo en alto, pidió paciencia y ánimos. De fondo se oyeron los aplausos solitarios de Catalino.

—¡Bravo! ¡Bravo! —gritó riendo—. Tejada es un gran hombre con una gran misión. Un salvador, ¿verdad, doctor Tejada? Un Mesías, ¿no es así? El hombre que nos sacará del caos, que nos librará del pecado, que reinstaurará el orden en este nuevo mundo..., ¿no es eso lo que va diciendo por ahí?

Ariché lo mandó callar, pero Tejada alzó una mano con gesto conciliador. Se dirigió a Catalino con campechanía, como si le perdonase todas sus faltas, incluida la irreverencia que acababa de cometer. Dentro de aquel contexto, le dijo, comprendía la desconfianza. Pero cuando fueran surgiendo los cambios, ellos mismos le darían la razón. Comprobarían que no les estaba mintiendo y la ironía empezaría a ser absurda. Sabrían reconocer el valor de todo lo que estaba haciendo por New Life.

Catalino Fernández se dio la vuelta y se marchó a los jardines, riendo a carcajadas. Los demás se miraron las caras y, como Tejada no les ordenó lo contrario, volvieron a sus tareas, apresurados. Nadie dijo nada. La reunión se había disuelto con la misma sensación de desconcierto con la que había comenzado. Tejada subió a su despacho y pasó allí el resto del día, dormitando.

Acunado por el movimiento del agua, Tifón dormía la siesta dentro del *Melisa*. Tejada asomó la cabeza y llamó a la niña. El perro agitó las orejas llenas de garrapatas, pero no hizo ademán de levantarse.

–¿Dónde está, pedazo de sarnoso? –preguntó Tejada–. ¿También ella va a ser ahora un fantasma?

Un olor casi insoportable a agua estancada impregnaba cada uno de los viejos tablones de la embarcación. En la barandilla se posó una gaviota con los ojos rojos y las plumas descolocadas; una gaviota enferma. Mierda, se dijo Tejada, cómo he dejado que esta chiquilla venga aquí a jugar, cómo he podido permitirlo. Descubrió la maleta de ruedas bajo el hueco de la escalerilla. Que la hubiese dejado allí, pensó, no era un hecho tranquilizador. Cuando intentó cogerla, Tifón se levantó y se puso a su lado, en tensión.

–Tranquilo –le dijo al perro–. No vas a morderme de nuevo. No tocaré la maleta. Pero dime dónde está ella. Llévame a donde está. Los perros sabéis hacer esas cosas. Enséñame dónde se ha metido, y yo te seguiré. No te haré nada.

Tifón se tranquilizó con su voz. Comenzó a lamerse las heridas del lomo. Tejada lo miró expectante, sintiendo el sudor que le resbalaba por las sienes. Oyó el rumor del tren de las 18.20 cruzando sobre el puente. Maldita sea, gritó en voz alta, y se marchó iracundo y cansado.

La ausencia de la niña fue lo que le llevó a aceptar la propuesta de Benmoussa de visitar la parte norte de Vado, toda aquella zona de almacenes y polígonos industriales que él todavía no se había decidido a pisar.

—Yo no hago excursiones con nadie, jefe —repitió—. Esto es una excepción.

Obviamente, no se trataba de sustituir a la niña por el histriónico investigador de las gafitas: las comparaciones eran odiosas. El problema —el terrible problema— era que la niña no estaba y que él no tenía ni idea de dónde demonios podría haberse metido. Le aterraba la posibilidad de que también ella se hubiese marchado, de no volver a verla nunca más. Dijo que sí a Benmoussa porque en aquel momento no hubiese podido decir no: no necesitaba ver más edificios en ruinas —ya había visto bastantes—, pero sí evadirse, no torturar más su cabeza con elucubraciones.

En el tren Benmoussa no paraba de tomar notas, de cambiar de asiento, de mirar a uno y otro lado haciendo fotos. Llevaba consigo todos sus artilugios, un maletín y una mochila. Tejada lo contemplaba desdeñoso, aunque también con condescendencia. El sol ardía oculto tras unas nubes rojizas que se extendían por el horizonte. La luz les llegaba matizada por el cristal de las ventanillas, con un color como de oro viejo. Quizá un poco más tarde se desencadenaría una buena tormenta.

–Es aquí –anunció Benmoussa nervioso.

Bajaron al andén y Tejada tuvo la sensación de estar protagonizando una de aquellas viejas películas de pioneros en el Oeste, con la diferencia de que allí no eran los primeros en llegar, sino los últimos. A lo lejos, desperdigados como nopales por la tierra reseca, se levantaban edificios semiderruidos, estructuras vacías, muros e incluso fachadas completas sin nada detrás; naves abandonadas, pequeñas fábricas y almacenes en cuyo interior había crecido la maleza. El viento silbaba al entrar y salir por las oquedades de los muros, por los vanos de las puertas y por las ventanas bordeadas de cristales rotos. Allí ni siquiera parecían vivir las ratas.

–Deberíamos haber alquilado un coche. En el supuesto de que aún quedasen empresas de *alquiler* –reflexionó Benmoussa–. Hace demasiado calor para ir andando entre *todos* estos edificios.

Caminaron hacia el interior del polígono. Tejada rió por lo bajo: los rótulos ostentaban nombres como calle del Trabajo, de la Prosperidad o del Capital, avenida del Esfuerzo, plaza de la Bonanza. Se detuvo ante un edificio achatado, con las paredes descascarilladas y un par de ventanas enmarcadas por ladrillos. Junto a la puerta, había una pintada escabrosa, una de tantas. La estrecha entrada central tenía unas escalerillas metálicas. Miró a Benmoussa, que continuaba tomando compulsivamente sus fotografías, y subió con cuidado. Sus pies dejaron anchas huellas en el polvo.

El interior estaba iluminado gracias a los agujeros del techo. En cualquier momento, pensó Tejada, podía caer un pedazo de tejado o una pared completa. Una absurda forma de morir, se dijo mientras husmeaba alrededor. Allí dentro se habían fabricado vírgenes y santos. Por la disposición de los objetos, daba la impresión de que el trabajo hubiese sido interrumpido a la mitad: figuritas a medio hacer esperaban el turno de la gracia, rodeadas de restos de escayola, moldes, pinceles, pigmentos de colores y látex. Todavía podía olerse el aroma inconfundible de un taller de pintura, con todos sus aceites y sus esmaltes. Vio un grupo de san Migueles dispuestos en hilera sobre una tabla; los de la derecha tenían puesto el brazo de la espada, los de la izquierda lucían su muñón, ya irremediable. Más allá, vio una caja con pequeños ojos de vidrio que ya nunca serían colocados en las bandejitas de las respectivas santas Lucías. Había vírgenes coronadas y vírgenes sin coronar, niños Jesuses listos para el Belén y otros aún con los pálidos labios sin pintar, crucificados sin INRI y con INRI, santos con toda su compleja imaginería y santos sin atributos. Benmoussa asomó la cabeza por una de las ventanas sin cristales.

–¿Qué hay ahí dentro?

–Nada, jefe –respondió Tejada guardándose un san Pancracio en un bolsillo.

Pasaron dos horas más en el polígono, Benmoussa entrando y saliendo de las naves y Tejada sentado sobre unos escombros. El viento soplaba amenazante, tormentoso, y él contemplaba las briznas de las hierbas —jaramagos y lacias margaritas— agitándose entre los adoquines.

A la vuelta en el tren, casi ya anocheciendo, los sobresaltó el ruido de los truenos; los escasos viajeros miraban la tormenta sin demasiado interés. Tejada también estaba cansado. Se sentó aparte, cerró los ojos tratando de dormir y entonces oyó una voz familiar, una voz de mujer que le hablaba a alguien varias filas de asientos por delante.

—No quiero molestar, pero me parecía tan solo... Solo de un modo genético, quiero decir.

Tejada abrió los párpados y vio a la mujer dirigiéndose a Benmoussa. El investigador la miraba con una media sonrisa bobalicona. Ella continuó con su discurso.

—Sí, ese tipo de soledad genética que va con uno desde el nacimiento, no sé si me explico. Hay una serie de características físicas que marcan a las personas que padecen ese tipo de soledad..., algunos incluso las han descrito y catalogado...

Se sentó al lado de Benmoussa y continuó hablándole al oído. Uno de sus brazos colgaba tras el respaldo del asiento. Lentamente, con su mano de uñas pintadas, agarró el maletín que estaba en ese lado. Tejada no hizo nada por impedirlo. Un relámpago iluminó fugazmente el cabello de la mujer y justo entonces el tren se detuvo. Ella se levantó con brusquedad y bajó, agarrada ya al maletín de Benmoussa. Él la despidió con la mano y ella lo saludó

141

desde el andén, envuelta por la ventolera. Fue sólo al llegar a la estación central cuando el científico se dio cuenta de lo sucedido. Lloriqueó y pataleó de camino al Madison Lenox, agarrándose las puntas de la camisa con desesperación. Más tarde, en el vestíbulo del hotel, con los ojos bajos, le pidió perdón a Tejada por el *lamentable* espectáculo que había dado. Todo su esfuerzo, explicó, todo su trabajo, había quedado en nada. En aquel maletín guardaba el portátil con el fruto de sus investigaciones, un gran número de datos *valiosísimos* para el EURI, sollozó. Se llevó las manos a la cabeza. La mujer del kimono los observó en silencio tras la recepción, empolvándose las mejillas y suspirando. Enflaquecida, sucia, cansada, ostentaba aquella noche una especie de dignidad que hizo que Tejada sintiese ganas de abofetearla.

Lo hago por ella, no por mí, se dijo mientras se acercaba al *Melisa* cargado con dos bolsas de plástico. Finalmente, había llovido la noche anterior y ahora el pavimento estaba embarrado. Tejada se quitó la chaqueta de lino y avanzó sorteando los charcos y la basura. Tifón salió a recibirle con cautela. Él miró alrededor con ansia; aún mantenía la esperanza de encontrarla. La llamó varias veces, pero sólo recibió el eco de su voz, retumbando en el vacío. Miguel, gritó por última vez, dónde te has metido. Una gaviota aleteó sobre su cabeza rompiendo el silencio. Tifón gimió un poco y Tejada se supo ridículo. Obras de caridad, pensó, quién lo diría. Se despreciaba por su papel de viejo enternecido, encaprichado de una niña sin querer admitirlo. Sacó de las bolsas jamón seco, salchichas, algunos huesos, pan y pienso para perros. Tifón permaneció inmóvil, sin dejar de mirarlo. Tejada se limpió el sudor con la manga.

—¡Come! —le ordenó al perro—. No he venido hasta aquí para que te quedes parado.

Entonces Tifón, todavía vacilante, se acercó a la comida y comió.

El funcionario lo recibió con una sonrisa complaciente.

—Creo que quedará satisfecho. Éste es el informe que se ha elaborado sobre su caso. Firme aquí su recepción, por favor —pidió entregándole una pluma.

Tejada observó la pluma. Una estilográfica Montblanc de resina negra y platino. Qué maravilla, pensó. Firmó con delectación. Después cogió el documento, lo acercó a su nariz y lo leyó en voz baja:

Informe de actuaciones 09/187, residencia de la tercera edad «New Life», con sede en el distrito 3 de Nuevo Vado (Vado).

Antecedentes: Habiéndose recibido petición el pasado día xx de xx de xxxx, por parte de D. Francisco Tejada, con documento nacional de identidad xxxxxxxx-x, que se identifica asimismo como jefe de geriatría de la residencia de ancianos de denominación New Life, de actuaciones urgentes para dicha institución, argumentando para ello los siguientes motivos:

1. Baja del 78 % de los residentes en el plazo de un año.

2. Impago de las cuotas mensuales del 63 % de los residentes restantes.

3. Reducción del personal de hasta un 82 % de la plantilla con marchas repentinas y sin sustituciones.

4. Desmoralización del personal, con incidencia en situaciones depresivas, adictivas y violentas.

5. Deterioro alarmante de las condiciones sociosanitarias de la residencia: entre otros, supresión de los sistemas de aire acondicionado, de videovigilancia y de rehabilitación geriátrica.

Actuaciones acometidas: Se verifica, en primer lugar, la validez de los estatutos de la institución de referencia, comprobándose que la residencia de ancianos New Life se constituyó en fecha xx de xx de xxxx, registrada bajo el número xxxxxxxxx en la Sociedad de Registros Mercantiles. A continuación, habiéndose consultado al letrado D. Joaquín Villar...

Tejada resopló. Pasó la vista por encima de los párrafos:

–Palabrerías –murmuró.

El funcionario lo miró sin alterar su sonrisa, elevando su bigotito casi inexistente. Tejada pasó las páginas y llegó al final del documento:

... De lo cual se deduce que el paquete de medidas más urgente es el referente a la protección de los derechos fundamentales de los ancianos allí residentes, que de manera palmaria han visto reducidas sus prestaciones en

144

los últimos meses. En este sentido, la OSUPEA se compromete a reforzar provisionalmente la plantilla de New Life con una dotación de MAUP (Monitores de Asistencia Urgente Polivalente) que efectuarán labores de apoyo sociocultural.

En una segunda fase, y en función de los resultados que se obtengan del estudio actualmente puesto en marcha sobre los ingresos registrados y declarados legalmente por el área organizativa y gestora de la residencia –pues, como se vio supra, hay indicios más que razonables de declaraciones fraudulentas–, se acometerán otro tipo de actuaciones dirigidas a compensar otros daños...

–Un momento. –Tejada interrumpió su lectura–. ¿Qué es todo esto? Aquí ni siquiera se habla de los sueldos.

El funcionario alzó las cejas y rió entre dientes.

–¿Se hace usted el tonto o no se ha enterado de lo que dice el informe? La primera que tiene cuentas pendientes es la propia residencia.

–Pero no es responsabilidad mía, que yo sepa. Ni es la cuestión ahora. En New Life sólo queda personal médico y de asistencia. Esa llamada área organizativa y... y... –Tejada rebuscó entre los papeles– y gestora, esa área gestora o como ustedes quieran llamarla... ¡no existe ya! ¡Está como el agua de la piscina! ¡Evaporada!

–En la OSUPEA atendemos primero lo urgente, lo más apremiante. Hace falta tener la cabeza bien fría para saber qué es lo más necesario en este caso. Pues bien, yo lo sé: son esos pobres ancianos, que están siendo literalmente maltratados.

145

–Esos pobres ancianos, como usted los llama, no pagan sus mensualidades.

–Quizá hacen bien en no pagar, habida cuenta de la mala atención que se les da.

Tejada apoyó los puños en la mesa y lo miró con furia. Aquel tipo se estaba riendo de él, pretendía tomarle el pelo o provocarle. Intentó controlar su respiración –*un, dos, un, dos, un, dos*– y recordar sus objetivos –*nada que me altere, nada que me entretenga...*

–¿Qué dice?

–Nada, no digo nada –respondió levantándose–. Sólo le advierto que el día que se nos marche todo el personal ustedes serán los responsables del destino de esos viejos. ¡Yo también me iré! ¡Y nadie podrá exigirme responsabilidades!

–¿Marcharse? –El funcionario se echó a reír–. Usted no podrá marcharse. A no ser que prefiera enfrentarse a una pena de cárcel por abandono de sus funciones públicas con incidencia en derechos fundamentales de terceros. Quizá si encuentra a uno más tonto que usted que lo sustituya, como hizo su antecesor, el tal Carvajal... Pero eso va a ser difícil, doctor Tejada... Algunos estamos condenados a quedarnos en Vado hasta contemplar su último día de vida. Su último y miserable día de vida.

Después, rápido y preciso, comenzó a sellar documentos sin levantar la vista, comportándose como si ya estuviera solo, haciendo ver, al mismo tiempo, que quería ya quedarse solo.

En la puerta principal de New Life el viento había acumulado bolsas de plástico, hojas secas, desechos variados. Habían pasado tres días desde la tormenta, pero nadie había recogido aún toda esa basura. Un gato se desperezaba en los escalones y las tres viejas inseparables permanecían sentadas en el porche, muy pegadas, mirando cómo se acercaba hasta ellas la silueta de Tejada recortada por el sol de la tarde. La distancia entre ellos se acortaba como se acorta el tiempo. La distancia era tiempo. Estaban en uno de aquellos instantes de ingravidez en los que el mundo parece suspenderse y levitar, esos momentos de espera que eran cada vez más frecuentes en la residencia. A lo lejos podía verse la sombra acechante de Catalino Fernández agazapado entre unos rosales.

Quizá sólo él hubiese podido prever el suceso. Para los demás quedó el sobresalto, la salida inesperada de aquella paz enfermiza. Tejada sólo sintió un golpe seco, primero en la cabeza –más liviano– y después en el hombro –un dolor insoportable que lo hizo caer al suelo como un fardo–. Las tres viejas se levantaron y chillaron a un tiempo, llevándose la mano a la boca y abrazándose entre ellas con pánico. El gato arqueó el lomo y huyó bufando hacia el interior de los jardines. Tejada quedó en el suelo, de costado, con la cabeza cubierta de sangre y el hombro roto. Junto a él, una piedra de cuatro kilos de peso que había sido arrojada desde una de las ventanas de la primera planta. Arriba, en el pasillo, la Clueca giraba las ruedas de su silla alejándose a toda prisa para esconderse y feliz de haberse deshecho por fin del detestado doctorcito.

5. LOS NUDOS

Fue Ariché quien decidió que era mejor atenderlo en New Life que llevarlo a Santa Catalina. El hospital estaba bajo servicios mínimos, poco podían hacer allí por él. En cambio, en New Life podría pasar su convalecencia en una de las habitaciones del ala este, sin duda la más tranquila. Fue también la misma Ariché quien se encargó de curarlo con tanta profesionalidad como apatía. Le diagnosticó –sin radiografía, sin pruebas, sin nada– una luxación del hombro y una fractura de húmero, le colocó una férula y unos rudimentarios vendajes en las heridas más superficiales de la cabeza y le administró todas las medicinas necesarias para aliviarle el dolor que le había hecho rugir en las primeras horas.

Tejada la miró hundido desde la cama, con la cabeza hinchada, el brazo inmovilizado, asfixiado de calor y de pena. Trató de incorporarse, con los ojos inflamados de fiebre, y le preguntó por las posibles secuelas.

Por primera vez en mucho tiempo, sentía miedo. Era el segundo ataque que sufría en Vado en el espacio de poco más de dos meses. Una locura, se decía. O una expiación, quizá eso es lo que era, una compensación por lo que tenía que pagar tarde o temprano. Ariché desplegó una sonrisa distante. Ni siquiera sus heridas habían conseguido acercarlo a él. Tejada supo que la relación no iba a ir más allá de una tibia compasión. La que ahora le doblaba un almohadón bajo la nuca era la misma que lo había dejado en el suelo el día del desmayo. Ganársela para después perderla, susurró para sí; de eso se trataba.

Ella le hablaba como quien habla a un crío o a un anciano.

—Mire, Tejada: la piedra podría haberlo matado. ¿Entiende? Tuvo suerte de que sólo le rozara la cabeza. Estuvo a punto de romperle la crisma en dos. Así que deje de quejarse y dé las gracias por estar vivo.

—Si a esto lo llamamos estar vivo, doy las gracias —protestó él con una mueca de dolor—. Pero sé que no ha sido un accidente. Un pedrusco de ese tamaño no se cae de una ventana por error. Si acaso, se deja programado como el detonador de una bomba para que caiga justo a la hora en la que pasa por debajo el jefe.

—¿Qué quiere decir?

—Catalino. Desconfío de Catalino.

Ariché chasqueó la lengua.

—Cuando cayó la piedra él estaba en el jardín. Lo vimos todos.

—Pudieron ayudarlo. Hay más gente que me odia, ¿sabes?

—Lo sé —dijo ella—. Y no creo que le sorprenda.

Miró a Tejada de arriba abajo, postrado en la cama como un animal apaleado, vencido y humillado, con toda su altivez pisoteada. En la habitación olía a antiséptico, a formol, a enfermedad. Tejada tenía el brazo sano extendido con rigidez fuera de las sábanas, y el otro cruzado por encima, entablillado y como muerto. La cabeza le caía hacia un lado con pesadez.

—Escuche, Tejada —susurró ella acercándose lentamente—. Quizá debería saber algo.

A Tejada le brillaron los ojos y carraspeó como si fuese él, y no ella, quien se dispusiera a revelar un secreto. La miró con fijeza, más allá de sus ojos, y la vio comenzar dando rodeos, balbuciendo, deteniéndose en circunloquios sobre el significado del pasado, sobre los conflictos no resueltos, las obsesiones, los miedos, el desequilibrio. Pensó que pretendía confundirlo hasta que la oyó mencionar a la Clueca.

—¿Qué tiene que ver la Clueca en todo esto?

Ariché endureció los músculos de la cara, como si dudase en continuar. Entonces, sólo con ver la contracción de su mandíbula y el brillo de los dientes, supo Tejada que no, que no estaba mintiendo. Le pidió que siguiera y luego se recostó y la escuchó hablar de la pobre niña rica a la que habían obligado a abortar, y de todo lo que pasó después, cómo de aquella crueldad había salido otra crueldad mayor, que era la mujer con el útero destrozado, y luego la vieja loca, deslenguada, maligna y resentida, con unos hijos —auténticos tiburones que producían y devoraban dinero a dentelladas— que en realidad tampoco eran sus hijos.

–Lo más triste es que toda esa gente tiene dinero de sobra para sacar a la vieja de Vado. Simplemente, no se preocupan de hacerlo, sobre todo teniendo en cuenta que la pobre mujer ha perdido la cabeza y va diciendo por ahí verdades inconvenientes. Tan cruel y tan simple como eso.

Tejada se volvió con impaciencia.

–Sigo sin entender qué tiene que ver esto conmigo.

–Tiene que ver, pero usted no sabe escuchar. ¿Se lo digo más claro? El médico que le practicó el aborto debía de parecerse mucho a usted. Es más, debía de llamarse igual que usted.

Un aborto brutal, eso le había contado. Tejada cerró los ojos.

–Por ese tiempo yo ni siquiera habría nacido –se quejó.

–A la Clueca le da igual la línea del tiempo. Desde su punto de vista, usted es ahora el culpable de su sufrimiento.

–Entonces es que la culpa se arrastra por el tiempo y echa sus raíces en quienquiera que sea. Y mi verdadera culpa en quién echará raíces ahora...

–Usted sabrá cuál es su verdadera culpa.

Se tumbó de nuevo. La veneciana de la ventana tamizaba la luz en finísimos haces que loncheaban su cuerpo. Irradiaba calor, pesimismo, hastío. Habló sin moverse, con los ojos cerrados.

–De todos modos, algo no me cuadra. Me gustaría que alguien me explicase cómo es posible que una viejita en silla de ruedas sea capaz de levantar una piedra de cuatro kilos de peso, colocarla en el alféizar de una ventana y arrojarla desde allí con tan buena puntería, cuando ni siquiera podía asomarse para ver quién pasaba debajo.

Las delgadas rayas de luz se desplazaban con lentitud sobre la sábana. Ariché no dijo nada.

–Alguien la ayudó a prepararlo todo –continuó él–. Alguien le dejó la piedra lista, medio sacada, justo en el sitio necesario para que ella sólo tuviese que empujarla un poco. Alguien la avisó en el momento exacto. Alguien que estaba fuera y que ella podía ver desde la distancia.

Ariché mantuvo su silencio. Luego dijo que tenía que bajar para echar una mano. Era la hora en que llegaba la furgoneta de reparto.

–Sí, claro, ve... pero... ¿qué piensas de lo que te he dicho, Atardecer? –preguntó él incorporándose.

Ella apretó los labios y se acarició el mentón, pensativa. Una delgada arruga se dibujó en su frente. Después dijo:

–Pienso que debería despedir a Catalino. Eso pienso.

–Ya se lo avisé –rió Tejada.

Benmoussa estaba alterado. Decrepitud más decrepitud, se repetía. ¿Cómo era posible que un asilo que se conocía más allá de Vado por sus modernísimas instalaciones hubiese caído ahora en tal estado de abandono? ¿Cómo puede el lujo cubrirse tan pronto de orines y de hollín y de verdín y de maleza?

–¡Los edificios más viejos han aguantado *mejor!*

–decía dando vueltas por la habitación–. ¡Escuelas públicas que tenían más de cincuenta años conservan sus pupitres en *mejor* estado que cualquiera de los muebles de este sitio! ¡Cualquiera de los parques de *cualquier* barrio de las afueras tiene menos ratas y menos basura que estos jardines! Parece como si aquí alguien se hubiese *ensañado* para hacerlo aún peor.

En los últimos tiempos, veía una conspiración en cada hecho. Sus ojos se agitaban a uno y otro lado buscando una posible amenaza; se encorvaba hacia delante encogiendo el pecho como si así pudiera protegerse de un impacto de bala; susurraba y chillaba alternativamente, pasando del espanto a la risa en menos tiempo del que tardaba en voltearse para descubrir al enemigo. Él había llegado a Vado para investigar un hecho *científico* –reflexionaba en voz alta– y ahora estaba *claro* que había llegado a un punto en el que sabía *demasiado;* se había convertido en un personaje *incómodo* al que alguien quería quitar de en medio.

–Pues parece que se equivocaron de blanco –se quejó Tejada.

Quizá el ataque a Tejada no había sido más que una advertencia, dijo él. La segunda *advertencia,* repitió con los ojos desorbitados. Ahora comprendía que el ataque del perro no había sido casual. ¡Alguien azuzó a esa *fiera!*

–Ellos saben que usted es mi amigo y que yo le he confiado una gran cantidad de *información.* Atacándole a usted me están avisando de que tengo que detener mis investigaciones.

153

–No debería entonces visitarme –se mofó Tejada.

Y después, añadió Benmoussa haciendo caso omiso, después estaba aquel robo. El maletín que le habían birlado en el tren almacenaba una información *valiosísima.* Documentos privados, fotografías, grabaciones, datos. No era tanto lo que contenía como las pistas que arrojaba sobre sí mismo: les daba un perfil de él como investigador, de cuáles eran sus líneas de actuación, de quién le pagaba, por qué y para qué.

–No me extrañaría que el camarero del Esturión esté implicado en esto –afirmó.

–Eso pensé yo también desde el principio. No hay más que ver con qué sospechoso esmero limpia las copas. –Tejada guiñó los ojos hacia el sol–. ¿Podría bajar la persiana, jefe?

–Oh, claro, ¡hace un calor *espantoso!* ¡Este sitio es infame! ¡Tan grande y tan *abandonado!*

–Es el olor a viejo. Entra por la nariz y se queda incrustado en las mucosas.

Cuando vio que Benmoussa también tenía respuesta para eso, le pidió, por favor, que se marchara.

En el mismo tren que tomaba Tejada todos los días se sentó ahora Catalino Fernández, ceñudo y encogido. Llevaba todo su equipaje en un macuto militar con las correas desabrochadas, algo más de dos kilos de ropa revuelta y de todo aquello que había podido robar –por pura rabia– antes de irse, incluido el tótem indio que había sido del doctor Carvajal, y que abandonaría en cualquier sitio en cuanto bajase del tren. Desprendía un profundo tufillo acre, más allá del alcohol y la frustración. Los pantalones estaban rozados por los bajos y sus zapatos cubiertos del polvo de los jardines que jamás había cuidado. Miraba por la ventanilla sin ver: el casino sin clientes, los aparcamientos del Sunrise Village sin coches, los multicines sin cine, las casas de una urbanización a medio construir con sus enormes grúas con el cuello tronchado. Al pasar por el río cerró los ojos y maldijo en voz alta.

–¡Lo demandaré! –gritó–. ¡Demandaré a ese grandísimo hijo de puta y se le caerá el poco pelo que le queda!

Tejada cabeceaba medio dormido en su cama geriátrica elevada. Se estaba recuperando con bastante rapidez; aun así el brazo herido le dolía terriblemente si intentaba moverlo. Quizá hacía un par de días que hubiese podido levantarse y volver al Madison Lenox, donde sabía que lo esperaba la mujer del kimono con una larga factura sin pagar, o regresar al puerto, donde tal vez ya habría regresado la niña para coleccionar tesoros absurdos en su maleta robada –o en el maletín de Benmoussa, quién sabía–, o sentarse en su despacho a alborotar papeles y a abanicarse con un calendario caduco mirando a la mujer morena de la foto; en cualquier caso, había sido incapaz siquiera de moverse más allá del baño. Una vez más, la desidia, la pereza, la depresión, la incapacidad de asumir el paso de los días tal como iban cayendo sobre su piel. Uno nunca escapa de las cosas que hace mal, le había recordado Elena en muchas ocasiones, lo sepa o no nunca escapa a ello. Quizá no se levantaba porque pensaba que si se quedaba así, tendido y dormitando con los ojos cerrados, sería capaz de desafiar aquellas palabras.

Esa mañana sudaba como un cerdo. Cuando giraba la cabeza en la almohada sentía la humedad que le refrescaba las heridas ya casi cicatrizadas. Se concentraba en los latidos de su pulso —en la pierna dormida, en la sien apoyada— y los contaba con seriedad y disciplina. De pronto se sintió sobresaltado con el sonido de un altavoz y un ruido de palmas. Una música con fuerte percusión comenzó a sonar en el jardín, al tiempo que una voz femenina parecía jalear a un grupo con pasos de baile: *arriba, abajo, vaaamos, uno-dos-tres, ¡una vez más!..., arriba, abajo, vaaamos...*

Se incorporó con esfuerzo y se asomó a la ventana. Junto al porche diez o doce ancianos habían formado fila frente a una monitora en mallas y camiseta que levantaba vigorosamente los brazos y las piernas. Los viejos intentaban seguir el ritmo alzando también sus extremidades; algunos se limitaban a levantar los bastones, las muletas o los andadores; otros sólo movían los pies y las cabezas; al fondo podía verse a la Clueca en su silla de ruedas, con los ojos cerrados, palmeándose las rodillas con frenesí.

–¡Vaaamos, vaaamos, vaaamos, uno y dos! ¡Arriba, abuelos, vaaamos a llegar muy lejos! ¡Vaaamos a comernos el mundo, los abuelos al poderrrr! –gritaba la monitora. Llevaba el pelo recogido en dos trenzas que agitaba a izquierda y derecha, poseída por el demonio del *fitness* y de la vida sana.

—¿Ha visto eso? —preguntó Ariché entrando en la habitación.

Tenía las aletas de la nariz inflamadas y el rostro rojo, alterado. Tejada se cubrió como pudo; el camisón transparente dejaba a la vista toda su hombría decrépita y maltrecha. Volvió a la cama con rapidez y la miró interrogante, cubriéndose con la sábana.

—Esa mujer ha llegado esta mañana diciendo que es una *maup* —explicó ella—. Algo así como una monitora para la asistencia urgente y no sé qué más cosas. También dijo que formaba parte de una dotación enviada específicamente para New Life; que los lunes, miércoles y viernes dará aeróbic, los martes taichí y los jueves chi kung. Y ha anunciado que los fines de semana vendrá otro tipo para yoga y pilates.

—¡Qué cosa tan horrible! Los pobres viejos parecen marionetas bailando esas sandeces.

—¡No hablo de eso! —gritó Ariché. Sus ojos destellaron un instante—. En otros tiempos también se hacían aquí estas cosas. Y *aquagym,* y bailes de salón, y todo lo demás. No me refiero a eso. Es que esa mujer asegura que usted la envió aquí. El doctor Francisco Tejada, ha dicho.

—No tengo la menor idea de lo que hablas, Atardecer.

—Dijo que usted solicitó un equipo de *maups* a la OSUPEA. ¿A eso es a lo que fue entonces? ¿A pedir monitores de *fitness?* ¿Para eso tanto cuento?

—Oh, querida, ¡yo fui a la OSUPEA a hablar de

problemas serios! ¡No tengo nada que ver con esta señora!

Ariché se dio la vuelta. Le temblaban los hombros. La voz enérgica de la monitora los envolvió a ambos durante unos segundos. Los cristales de la ventana se estremecían con el retumbar de los altavoces.

–Usted nunca cuenta las cosas como son –dijo ella al fin.

–«Las cosas como son pueden cambiar en la guitarra azul.» Lo dijo mi poeta favorito.

–Hablo en serio, Tejada; déjese de poetas. Usted sólo dice lo que le interesa. Le gusta ponerse medallas, pero no hace nada. Le importa una mierda que estemos sin cobrar porque no le hace falta el dinero. Hasta se aloja en un hotel de cinco estrellas, no crea que aquí no lo sabemos. Y sin embargo tuvo la desfachatez de reunirnos aquel día en la cocina y asegurarnos que todo iba a cambiar. En el fondo, no le compadezco por lo que le pasó. Catalino Fernández tenía sus razones: usted quería venderse como un gran hombre con una gran misión y no es más que un fracasado con aspiraciones. ¿No era eso lo que le decía al Viejo? ¿Que era un gran hombre con una gran misión?

Él se sintió golpeado en medio de la frente. *Soy un gran hombre con una gran misión. Soy un gran hombre con una gran misión. Soy un gran hombre con una gran misión.* La frase le retumbaba en la cabeza y en los oídos. *Soy un gran hombre con una gran misión.* Así lo había hecho saber toda su vida en cada uno de los lugares donde había podido. Delante de inocentes, de niños, de tarados, de ingenuos y de incautos. Delante de gentes confiadas y de buena voluntad. Delante de desesperados, de necesitados de fe y de instrucciones, de miserables, de egoístas e imbéciles. *Soy un gran hombre con una gran misión.* Esa vanidad vacua y sin sentido, una vanidad que sólo debía lucirse donde su falsedad no pudiera ser desenmascarada. Y sin embargo ahora, allí, en aquella residencia donde los ancianos revivían con acrobacias geriátricas, frente a aquella enfermera morena y de ojos tristes que sería capaz de humillarlo en cualquier momento si retirase la sábana que cubría su cuerpo, allí todo caía como cae un castillo de naipes. *Ganársela para después perderla.* Ya estaba todo hecho.

Suspiró y la miró de frente. Ella se encaminó a la puerta, pero antes de salir volvió la cabeza y lo miró desdeñosa.

–Por cierto, creo que ya está bastante recuperado de sus lesiones. Será mejor que recoja sus cosas y retome todo ese muchísimo trabajo que tiene por hacer. A mí ya no me apetece cuidarlo.

Tejada permaneció acostado, sin moverse, intentando escuchar los pasos de Ariché que se alejaban por el pasillo. Pero la música y las voces de la monitora de aeróbic eran más poderosas. Vencido por la intriga y el aburrimiento se asomó de nuevo a curiosear. Justo en aquel momento todos los viejos miraban hacia su ventana mientras hacían movimientos circulares con el cuello –*vaaamos suave vaaamos*–, con sus ojos enrojecidos y lagrimosos cargados de reproche. Tejada se

159

sobresaltó y volvió a la cama como un conejo. Dios, pensó, si hoy no es la Clueca, mañana será alguno de ellos. Y por primera vez desde su llegada pensó en huir.

—¿Dónde estuviste? —le preguntó la niña cuando lo vio acercarse, cargado con sus bolsas.

—¿Dónde estuviste *tú?* —preguntó Tejada sin sonreír.

—¿Qué te ha pasado? ¿Otra vez te ha mordido un perro?

La niña dio una vuelta en torno a él. Todavía llevaba el brazo en cabestrillo y se le notaban restos costrosos de las heridas de la cabeza.

—¿Le traes comida a Tifón? —rió señalando las bolsas.

A lo lejos, el perro se lamía los arañazos del lomo. A estas alturas no estoy mucho mejor que él, pensó Tejada. Únicamente más gordo, pero igual de apaleado. Después miró a la niña. Había adelgazado y su rostro tenía una palidez distinta. La separación entre las dos paletas parecía haberse agrandado, lo que le daba un aire aún más infantil y desvalido. Estaba despeinada y no muy limpia.

—¿Has estado enferma?

Ella no contestó. Miró hacia los lados.

—No deberían verme aquí —dijo—. A mi padre no le gusta que venga.

—No seas boba. Nadie va a vernos. Aquí nunca hay nadie. ¿Le has hablado a tu padre de mí?

160

–No, claro que no. Pero me prohibió venir. Dice que el puerto está sucio y que no es lugar para mí. He vuelto a escondidas para traerle comida a Tifón.

Una gaviota pasó rozándole la cabeza a Tejada, que tuvo que levantar el brazo sano para espantarla. En una cosa tiene razón tu padre, le dijo a la niña, esto no es sitio para ti; ella se encogió de hombros y caminó a su lado, saltarina. Se sentaron después en unos escalones de piedra a contemplar el puente de hierro, con su estructura trenzada y el óxido destellando bajo el sol. Uno de los trenes pasó sobre el puente dejando tras de sí un estruendo de vías. El cielo se había coloreado de rojo y las aguas del río –contaminadas, verdes– ondeaban con una placidez casi inquietante, sólo interrumpida por algunos peces moribundos que salían a coger su última bocanada de oxígeno. Tifón se tumbó a los pies de la niña, con su hocico afilado apuntando a la lejanía.

–Soy un gran hombre con una gran misión –murmuró Tejada con la cabeza baja.

–Lo sé. Ya me lo has dicho muchas veces.

–Pero lo digo de broma. Por jugar. Tú sabes que lo digo por jugar, ¿verdad?

–No. Lo dices en serio.

–¿Crees que tengo una gran misión?

–Sí, creo que lo dices de verdad porque es de verdad.

Guardaron silencio. Los graznidos de las gaviotas rebuscando entre la basura se mezclaron con el aleteo de una bandada de palomas que pasó sobre ellos. Palomas negras y grises, con los ojos rodeados de excrecencias rojizas. Algunas ratas, no demasiado grandes ni demasiado lejos, recorrían zigzagueantes la línea del muelle, con el rabo ondulado. La niña se apartó los mechones de pelo de la cara y miró a Tejada con seriedad.

–Mi padre dice que nos iremos dentro de dos semanas.

Tejada empezó a reír con convulsiones, atorándose. Se le encogía el pecho y le dolía el hombro de pensarlo.

–Me alegro por ti, pequeña. Es lo mejor que puede pasarte.

–No me llames *pequeña*. Me llamo Miguel.

–Miguel. Miguel. Miguel.

El perro agónico se levantó y sacudió su cuerpo; la niña le acarició con un talón desnudo, las uñas largas, los pies churretosos y redondos.

–Mi madre es de goma, ¿sabes?

Tejada no respondió.

–De goma como los maniquíes de los escaparates. Te lo dije en el Sunrise, ¿recuerdas? –insistió ella–. De goma o de plástico. No lo sé bien porque no la he tocado.

Hablaba hacia el suelo, sin dejar de acariciar a Tifón con el pie.

–No te entiendo.

–Lo que hay en la cama es un muñeco de goma. Por eso mi padre no me deja pasar, para que no lo descubra. Pero yo hace tiempo que lo sé.

Él le espió el perfil aguzado, la simplicidad de la curva de la nuca, y supo que hablaba completamente en serio. Supo también que ya no la protegería más la

162

inocencia, que se marcharía de Vado con el aura rota. Le acarició la rodilla con timidez y ella se dejó hacer, ambos empapándose de una lascivia desesperada, más allá de la edad, la razón y la carne.

Cuando entró en el vestíbulo del hotel, la soledad le penetró en los huesos. Si aún quedaba alguien allí, pensó, debían de ser espíritus, o medio espíritus. Daba la impresión de que cualquier cosa se desvanecería entre los dedos si la tocaba. Soltó su maletín en el centro del escudo y miró alrededor, buscándola. Vio un cenicero con colillas que parecían recientes. Aguzó el oído y oyó un ligero zumbido que se interrumpía rítmicamente. El sonido lo condujo hacia un cuartillo de servicio, un lugar donde no había estado antes. Pensó en una aspiradora, pero descartó la idea: allí debía de hacer siglos que no se enchufaba una. Asomó la cabeza y la vio enmarcada por la puerta entreabierta, inmóvil y con los ojos cerrados, una media sonrisa y un aparatoso cinturón vibratorio en torno al vientre. Salvo por unas bragas blancas, estaba completamente desnuda. Tejada se tapó los ojos con el brazo sano y ella abrió los suyos.

–Por fin has vuelto –dijo.

Se levantó y se desabrochó el cinturón. Quema las grasas, explicó. Lo había comprado en una teletienda, dos por uno. Quizá a él también le vendría bien usarlo, dijo con sarcasmo mientras se ponía su kimono.

–¿No vas a preguntarme qué me ha pasado? –dijo él.

163

—Benmoussa me lo contó. No sabía que fueses un espía.

—¿Un espía? ¿Quién dice que soy un espía? ¿Benmoussa lo dice? Benmoussa es un estúpido.

—Él no piensa eso de ti. No deberías ser tan altivo.

Encendió un cigarrillo y aspiró una bocanada. El pelo le enmarcaba el rostro con su raya en medio. Los labios finos, las cejas depiladas. Tejada vio que llevaba sombra oscura en los párpados, le recordó de pronto a Gloria Swanson. ¿Para quién se maquillaba? Ella no podía saber que él volvía ese día. Soy un gran hombre con una gran misión, pensó. Ella lo abofetearía entre carcajadas si él se atrevía a decírselo.

—¿Qué ha pasado aquí? —preguntó mirando en torno—. Noto algo distinto.

—Notas el tiempo. Has estado fuera más de dos semanas. Las cosas cambian por días. Y tú me debes dinero.

—Lo sé. Pero no esperaba que me lo dijeras nada más llegar. Creí que serías más comprensiva. Estoy casi arruinado.

—¿Por qué viniste entonces? ¿Por qué no te quedaste en una pensión o alquilaste un estudio o te metiste de okupa en uno de esos magníficos pisos vacíos que hay por todo Vado?

Tejada no respondió. Qué importaba ya tener más o menos deudas, más o menos lujos. La miró con desidia, sin odio, el kimono raído, las zapatillas de fieltro rotas. Esa mujer podía haber ido a cualquier sitio a buscar ropas mejores. En los armarios de cualquier casa en ruinas había prendas más dignas; los encargados de las tiendas, antes de marcharse, dejaban arrumbadas las cajas con los saldos que costaba más transportar que abandonar. Es como yo, se dijo Tejada, se siente llamada a rescatar algo que ya murió hace tiempo, pero ni siquiera sabe por dónde empezar. El pasado le pesa tanto que la inmoviliza. Deja caer los días sobre sí. El tiempo se acumula en su kimono; deshacerse de él significaría borrar su propia historia. O quizá no. Quizá no era nada de eso y lo que sucedía tenía que ver más con el contagio: Vado y las ramificaciones en sus gentes.

La voz de la mujer lo sacó de sus pensamientos.

—¿Me has echado de menos?

—No —mintió Tejada—. Sí —mintió a continuación.

Se había prometido a sí mismo no volver a llamar, pero la noche era larga y calurosa y el hombro le dolía demasiado. Había estado mirando las luces en la Torre Grady: sólo doce luces como doce ojos perdidos entre una multitud de cadáveres. La cortina le había raspado el cuerpo con un roce que casi le quemó. Entró en la habitación y encendió el móvil. Esperó a que se cargasen los avisos de llamada; esperó cinco, diez, quince minutos; más de lo razonable. Nadie le había llamado. Marcó un número; no contestaron; marcó otro.

—¿Qué hay? —gritó al fin—. ¿Negroni? Soy Francisco Tejada.

—...

–Lo imaginaba, no te preocupes. Sí, me llamó Chico Quinto. Bueno, ya, en realidad lo llamé yo a él. Sí, ya sabes, por las novedades. ¿Te pidió el adelanto?

–...

–Bueno, yo mismo le dije que se lo darías. Le dije que podía llamarte.

–...

–Ehhh, Negroni, escucha..., tú eres un buen tío. Chico Quinto no intervendrá por mí si no le pago.

–...

–¡Claro que es mi problema! Escucha, escucha..., escúchame un momento. Déjame que te explique, joder..., así no se puede.

–...

–Mira: yo pagaré a Chico Quinto en cuanto pueda. Estoy esperando un ingreso; tardará tres o cuatro días como mucho. Le pagaré, joder, pero ahora mismo no puedo darle nada. Tú sabes que él no moverá un dedo sin el adelanto. Ya sabes cómo es Chico Quinto. Dejaría que se cayese el techo encima de un bebé antes que salvarlo sin cobrar nada a cambio. Pero es el mejor, mierda; es el mejor. Escúchame, Negroni: él es el único que... Él es el único, mierda, tú lo sabes.

–...

–Se trata de mediar, me-diar..., me da igual qué técnicas utilice. Cada uno tiene sus estrategias.

–...

–¿No es limpio? ¿Chico Quinto no es limpio? Oh, vamos, dime quién es limpio. ¿Tú? ¿Tú eres limpio?

–...

–No justifico nada. Ni huyo de mis responsabilidades. Lo hice; ya sé que lo hice. Pero eso pasará. No hablo ahora de eso. A lo que me refiero ahora es a otra historia. Quiero recuperarla, Negroni, ¿me escuchas? ¡Quiero recuperarla!

–...

–Me duele que te rías. También tú tienes tus flaquezas, aunque vayas de perdonavidas por el mundo. Y sabes que las conozco.

–...

–Como veas. Un diez por ciento me parece bien. Nunca te he puesto pegas en esto. Pero llama a Chico Quinto, por favor; no lo olvides. Llámalo más tarde; yo acabo de intentarlo. Llama y págale el adelanto.

–...

–Sí, sí, diez por ciento; te he dicho que de acuerdo.

–...

–Ok. Te dejo..., ehhh..., un momento, Negroni.

–...

–Si sabes de ella, si sabes dónde está o con quién para... por favor, házmelo saber. Dímelo, lo prefiero. Vale, vale..., así lo haré. Un abrazo, Negroni. Gracias, Negroni.

–...

Uno nunca escapa de las cosas que hace mal, se dijo tumbándose en la cama. Recordó la cadencia de la voz de Elena cuando lo repetía, su cuello inclinado hacia delante, esa suavidad con la que parecía hacerlo todo. Las sábanas tenían dos manchas amarillentas desde que había llegado. Tejada las miró sin verlas. A lo lejos, se oía el runrún de algún aparato, quizá una máquina de las que se usan para limpiar las calles, con sus motorcitos casi de juguete y sus escobillas giratorias. O quizá no era en la calle, y aquella mujer había vuelto a enchufarse en el cuartillo de la limpieza a su cinturón vibratorio de teletienda. Tejada suspiró, se rascó el cráneo, gimió. Había dejado las cortinas abiertas; las luces de la Torre Grady se proyectaban en el interior de la habitación difuminadas como pequeñas bolas de papel. Las estuvo contemplando durante un rato, contemplándolas más allá de sí mismas, absorto en algo pero sin nada real en lo que pensar. Qué hacer ahora, se preguntó. Qué hacer.

El portero de la Torre Grady sonrió desdeñoso al reconocerlo. No dijo nada, ni avisó de que ya no funcionaba ningún ascensor. Tejada tampoco preguntó nada; se limitó a subir con lentitud las escaleras, deteniéndose en cada planta a coger aire, recolocándose con cuidado el cabestrillo. Se había perfumado y no quería sudar, así que se tomó su tiempo para llegar al piso diecisiete. La luz en el pasillo parpadeaba rítmicamente con un chasquido. Avanzó cauteloso, pisando cada losa con detenimiento. Esta vez la puerta estaba abierta. A la vuelta, se dijo con el corazón palpitante, las veré a la vuelta.

También estaba abierta la OSUPEA. Asomó la cabeza y vio al funcionario durmiendo sobre la mesa limpia de papeles, con la abultada calva apuntando hacia él y los brazos colgados por los lados. Como un pollo bien alimentado con su pienso diario, pensó

Tejada. Se acercó y chasqueó los dedos a un palmo de su cabeza. El funcionario resolló sin abrir los ojos. Dio varias palmadas sobre la mesa hasta que consiguió despertarlo. El tipo-con-carguito-ahora-destituido se levantó asustado, lo miró sin verlo, parpadeó varias veces, balbuceó algo, se limpió las babas, se pasó las manos por la calva, carraspeó y lo anunció con grandilocuencia, como si estuviese presentándolo ante una recepción de personajes ilustres:

–He aquí al señor Francisco Tejada...

Tejada mantuvo el rostro inmóvil.

–¿Qué le trae por aquí? ¿Están descontentos con los *maups?* ¿Llegaron tarde? ¿No hacen bien su trabajo?

–No exactamente. ¿Podemos hablar?

Hablaron. La conversación fue parca pero confusa. Tejada lo acusó de hacerlo quedar mal delante de sus empleados. Intentó explicarse mientras lo veía allí sentado, escuchándolo sin entender, con la mirada hueca, hasta que se dio cuenta de que era inútil, de que en realidad a él tampoco le importaba demasiado nada de aquello. Pensaba en las dos mujeres de la puerta que había más abajo y se secaba la frente con suaves toquecitos de pañuelo. El funcionario inclinó la cabeza y extendió la mano en un gesto de paz. Se perdió en vericuetos administrativos y burocráticos sobre las suspensiones salariales. Aseguró que la cuestión estaba en trámite; en el caso de retrasarse más de lo debido podrían exigir el cobro de intereses por demora según... –consultó papeles– el artículo 29 del Estatuto de los Trabajadores. También debían tener en cuenta que el impago reiterado del salario es considerado... –leyó– *causa justa para la rescisión del contrato por parte del trabajador*, según... –volvió a consultar papeles– el artículo 50 del mismo estatuto, con la ventaja de que en ese caso podría considerarse despido improcedente y por tanto tendrían derecho a contraprestación económica, concluyó triunfante. Ahora era Tejada el que no lo estaba escuchando.

–Por cierto, doctor –añadió el funcionario guardando sus estatutos en un cajón–, ¿qué le ha pasado en el brazo? Si ha sido un accidente laboral puede ser denunciable, aviso. Usted tendría derecho a una indemnización según el artículo 2.4 del estatuto.

–Olvídese de indemnizaciones. Puede seguir con su siestecita –dijo él desde la puerta.

Con cierta congoja se detuvo ante la puerta de las dos mujeres. Seguía abierta por una fina rendija. Si no son fantasmas, se dijo, las cosas volverán a tener sentido. Si puedo aferrarme a ellas, tocarlas, olerlas, quizá no todo está perdido. Como en una superstición, era absolutamente necesario encontrarlas, sacarlas del ensueño y llevarlas de nuevo ante sus ojos. Ordinarias, gruesas, infinitamente reales: así las deseaba. Sólo si eran carnales podría también odiarlas. Desear con violencia, con asco. Quizá para él no había otro modo de hacerlo.

Pero no se oía nada dentro. Ni un solo sonido, ni una sola voz, nada. Dio unos leves golpecitos a la puerta. Después llamó al timbre, un pitido estridente que retumbó por las paredes del pasillo. Sintió unos pasos que se acercaban, un ligero perfume. Una sombra ocultó momentáneamente la rendija y se detuvo al otro lado. Se oyeron unas risas juguetonas y la puerta se abrió de golpe. Allí estaba la morena, gorda, suave, exuberante, con los redondos brazos al aire y los pezones marcándose bajo la tela del vestido. Tejada se sintió turbado. Ella lo invitó a pasar. Esta vez estaba sola. Su amiga —dijo— había salido a comprar; no tardaría en volver. ¿Qué le había pasado en el brazo?, le preguntó entornando los ojos.

Tejada no quiso, no pudo entrar. Sintió vértigo. Verlas, verlas, eso era todo. No había necesidad de más. Quizá no tenía derecho a nada más. De nuevo lo invadió el impulso de huir, de alejarse. Se despidió aturdido y bajó las escaleras, contrahecho y cansado.

Puntuales y disciplinados, los viejos de New Life esperaban las órdenes de la monitora intrépida, la *maup* más enérgica de las *maups,* la pitonisa del *fitness.* La Clueca estrechaba a Pérez con dulzura contra sus pechos y le susurraba pequeñas obscenidades. Todos llevaban en la frente y en las muñecas cintas de rizo para el sudor y se habían puesto camisetas holgadas, con grandes números amarillos, atuendo deportivo talla única por cortesía de la OSUPEA.

Tejada pasó junto a ellos con su brazo en cabestrillo, el hombro alzado, cojeante y ojeroso. La Clueca apretó la barbilla al verlo. Habría jurado que lo había exterminado de la faz de la tierra. Y ahora el doctorcito malvado seguía allí, desafiante, vivo. Tejada ni siquiera alzó la vista cuando cruzó a su lado. Contemplaba de lejos a la *maup* que se acercaba con sus mallas y un top de lycra ceñido a sus enormes músculos. Llevaba una coleta alta y tirante que le levantaba las sienes. Un desafío al tiempo y al espacio, se dijo Tejada, un artificio, una belleza de plástico, y recordó a la madre de la niña, también de plástico.

Benmoussa lo esperaba en la puerta del hotel, apoyado sobre la pared, golpeando el suelo con la punta de sus Martinelli, aferrándose al maletín de cuero como un niño. Tenía los hombros más encogidos que de costumbre y la espalda echada hacia delante. Si seguía así, se dijo Tejada, pronto luciría una hermosa joroba.

Cuando lo vio, el investigador dio un brinco y se pegó a su costado.

—¡Han cerrado el Esturión! ¡Han cerrado el Esturión! —gritó.

Tenía las mejillas pálidas y una expresión anhelante y temerosa que casi hizo reír a Tejada.

—¿Quién ha cerrado el Esturión?

—No sé, no sé. Nadie. Ellos. *Alguien.* —Miró hacia ambos lados de la calle desierta—. No lo sé; está cerrado.

—¿Qué hay de raro en ello? Lo anormal era que todavía siguiese abierto.

Benmoussa meditó unos instantes, luego sacudió la cabeza con energía. No. No era eso. Era otra cosa. El camarero, aquel camarero. ¿No habían quedado en que era sospechoso? ¿No veía que todo coincidía de un modo preocupante? Los ataques, el robo, el espionaje, y ahora el tipo de la pajarita y la camisa blanca que desaparecía de un día para otro. Benmoussa estaba tan asustado que había contactado con el EURI la tarde anterior –le explicó bajando la voz–; se trataba de contactos estrictamente *confidenciales* pero que ahora se veía en la necesidad de compartir con Tejada. Estaban en una situación calificable como *peligrosa.* La obtención de la información se había hecho por vías anómalas, periféricas, *marginales.* Nadie quería hablar en Vado, de modo que a él no le había quedado otro remedio que recurrir a los recovecos de las cloacas. Sí, claro, había tomado *atajos* y había utilizado fuentes *pagadas,* pero ahora todo lo que sabía se le estaba volviendo en su *contra.* ¿Qué harían?

Había agarrado a Tejada por el brazo sano y lo llevaba en volandas hacia el Esturión. Gesticulaba y se lamentaba con tal afectación que por primera vez Tejada se preguntó si no estaba ante un grandísimo farsante. El silencio parecía ser mayor, más hondo e irrefutable, como si fuese cierto que los últimos restos de vida se estuviesen retirando ya de la ciudad definitivamente. Y allí, al fondo de la calle, estaba el Esturión, con su persiana de metal echada, las mesas y las sillas de la terraza apiladas y recogidas con una gruesa cadena. Ambos sabían que no se trataba de un cierre temporal. Sabían que nunca más se oiría el sonido metálico de la persiana abriendo y cerrando; nunca más la máquina de café espumeando leche, ni las conversaciones en sordina, ni los murmullos entre dientes del camarero abrillantando sus copas. Pero cada uno hizo de este hecho una lectura diferente. Mientras Benmoussa profundizaba en su teoría de la conspiración, para Tejada, en cam-

173

bio, se trataba sólo de un inconveniente de tipo práctico: ¿dónde podría desayunar ahora?

El coche –un Fiat 500 rojo y descuidado– aparcó frente a la verja de entrada de New Life. El conductor dio varios bocinazos antes de ver salir al lavandero, que cargaba en un carrito todo su equipaje. Ariché lo había despedido desde el porche, primero con un toque tímido en el hombro, después con un abrazo. Aquel hombre canoso –con su tupido y rizado pelo blanco, sus cejas blancas, su afeitada barba despuntando como si le hubiesen esparcido azúcar por las mejillas– había sido quizá su único amigo en todo el tiempo que llevaba trabajando en New Life. Su hijo mayor, dueño de una empresa de limpieza de fosas sépticas, había tenido que conducir más de quinientos kilómetros para recogerlo. Ariché pudo ver cómo refunfuñaba al abrir el maletero mientras su padre agachaba la cabeza avergonzado. La escena se desarrollaba en medio de una nube de polvo amarillento. Bajo aquel cielo inmóvil y plomizo, la mañana se presentía bochornosa.

–¿Quién es? –preguntó Tejada acercándose.

Ariché contestó sin moverse. Su voz temblaba.

–No puedo creer que no lo sepa. Es increíble. Lleva aquí casi tres meses y aún no conoce a los cuatro gatos que quedamos.

–Disculpa, Atardecer, no tengo buena memoria.

–Ya veo.

Tras un silencio añadió:

–El encargado de la lavandería. Se marcha. Ha estado viviendo en Vado toda su vida. Ha estado trabajando en esta... –vaciló– puta ciudad toda su vida. Y ahora tiene que irse. Tiene que irse a no sé dónde a limpiar cañerías con el engreído de su hijo. ¿No lo entiende? –Se volvió hacia él; tenía la mirada húmeda–. ¡Ha gastado cada minuto de su vida en beneficio de Vado y ahora tiene que irse sin nada!

–La ciudad se marchó antes que él. En realidad, él no abandona Vado. No exactamente. Abandona otra cosa. Digamos que... la ciudad del descrédito, del desánimo, del desaliento, de la desesperanza..., de todos los *des* del mundo.

–Habla usted por hablar. Para usted, sólo somos dígitos o símbolos de sus fabulaciones y sus frases bonitas. Pero ahora no quedamos más que dos enfermeros, la cocinera y usted. Si es que podemos contar con usted. Dígame cómo haremos para arreglarnos con todos los ancianos.

Tejada se encogió de hombros. Tampoco eran tantos, dijo. El día anterior se habían marchado otros tres; se lo había contado la monitora de aeróbic. La clase se le estaba quedando bajo mínimos. La Clueca en su silla de ruedas, Pérez, dos o tres abueletes con andadores y poco más. Los bríos de aquella *maup* resultaban cada vez más excesivos en un grupo tan mermado, ¿no le parecía? Era una pena desperdiciar toda esa energía con cuatro viejos que ni siquiera podían levantar un palmo las rodillas. Deberían aprovecharla para la iluminación nocturna, la refrigeración de alimentos o algo similar.

175

—¿Por qué se comporta de ese modo? —le preguntó Ariché.

Lo observó con sus enormes ojos interrogantes.

—¿Por qué insiste en ser tan particularmente imbécil? —siguió.

Él intentó explicarse. Lo que él quería era agradar. Aunque ella no lo creyese, lo único que quería era hacer bien las cosas. Ella pensaba que era un despreocupado, un cínico y un inútil, pero ¿tenía elementos reales para creerlo? Por ejemplo, ¿sabía que había vuelto a la OSUPEA? Oh, no, claro, ella no lo sabía. Pero él iba a contárselo. Sí, había ido y había tenido una violenta —violentísima, matizó— discusión con el funcionario que dirigía aquella institución de farsantes. Le había amenazado con demandarlo. Y de hecho, no descartaba tomar todas las vías legales. Por supuesto, se había informado previamente: había consultado el Estatuto de los Trabajadores en todos aquellos aspectos relacionados con el impago de sueldos; había hablado con abogados, con expertos de otras ciudades y hasta de otros países; había leído libros y estudiado precedentes similares. A la larga iban a recuperar todo el dinero que estaban perdiendo. Y sí, hacía falta paciencia, pero también algo más que paciencia: eran precisos un verdadero espíritu de lucha, una auténtica resistencia pasiva y activa, y, por supuesto, una enorme fortaleza mental. ¿Estaba ella dispuesta a acompañarle en la batalla?

Ella miraba de nuevo hacia la verja. El dueño del coche rojo había terminado de cargar el equipaje. Su padre, con los brazos desocupados y las piernas ar-

176

queadas, se montó sin levantar la cabeza. Ella alzó la mano hacia el vacío.

—Dime que me has perdonado —pidió Tejada.

El coche arrancó levantando un torbellino de humo gris y de polvo. Ariché lo vio alejarse por la carretera que conducía a Nuevo Vado, haciéndose cada vez más pequeño, como un puntito rojo en la piel empobrecida del paisaje. Adiós, susurró.

Fue a partir de entonces cuando todo se precipitó. Así lo recordaría Tejada más adelante: se fue el lavandero y todo se aceleró sin remedio. Antes se había podido ir sorteando el desánimo; uno podía pasar de puntillas entre los charcos sin salpicarse demasiado. Pero de pronto todos los nudos empezaron a desanudarse. La niña se marchaba. Ariché estaba definitivamente perdida. El Viejo era ya sólo una sombra en el recuerdo. Ya no podía venderse ante nadie como un gran hombre con una gran misión. Ni siquiera podía tomarse un café en el Esturión, como debía haber hecho un auténtico gran hombre con una gran misión, con distinción y engolamiento.

Volvió al hotel directamente. No se sentía con fuerzas para bajarse en Bocamanga. La plaza, aquella plaza que parecía abombarse cada día más por el efecto del calor, le resultaba una bofetada de conciencia en plena cara. ¿Cómo podía permitir a la niña que lo esperase allí, sentada y sola, expuesta a saqueadores, a dementes, a desesperados, a pederastas, a captadores de sectas satánicas, a secuestradores de niños, a toda aquella tribu peligrosa... con la única protección de un galgo con collar antiparasitario? Contempló el andén despoblado, iluminado por la luz fantasmal de la tarde, con su grisura de cemento y de acero, y recordó a la rubia de bote amante de maletas ajenas, una versión obscena y chabacana de Marnie la ladrona.

Se detuvo un momento frente al hotel. Acostumbrado a ver su soberbia fachada con las luces fundidas, la oscuridad le pareció más hermética. El cartel que anunciaba ofertas especiales y celebraciones se había descolgado de uno de los lados y pendía ahora a merced del viento. Las cinco estrellas lucían deslucidas y nostálgicas. En el vestíbulo la negrura era completa. Tuvo que esperar un buen rato hasta que sus ojos se acomodaron y fue capaz de discernir algunos bultos: el mostrador de la recepción, el sofá y los sillones de cuero, las mesitas y sus lámparas, los enormes filodendros y los ficus marchitos en sus grandes macetones de cerámica. Tuvo la sensación de estar en medio del desierto.

–¿Quién hay? –gritó.

Caminó hacia el cuartillo de la limpieza. La imaginó allí, con su kimono tirado en el suelo, embutida en su cinturón vibratorio, adormilada de calor y placer. Imaginó también que la encontraba amordazada y estrangulada con su propio ingenio quemagrasas, la cabeza inerte hacia un lado con una mueca grotesca, asesinada por puro aburrimiento, y se espantó de la frialdad con la que recreó la escena.

Pero el cuartillo estaba vacío. Con cuidado, con tiento, subió los escalones poco a poco. Todos los focos estaban apagados. Sólo destellaban los pilotos automáticos de los interruptores, rojos y verdes. Sintió la moqueta de los pasillos más blanda que de costumbre; la suela de los zapatos se quedaba levemente adherida a ella antes de dar el siguiente paso. Con lentitud, avanzó hasta su habitación. La puerta estaba abierta. Cuando metió la tarjeta de la luz en su ranura todo siguió en penumbras. Tuvo que abrir la persiana, las cortinas y las contraventanas del balconcillo para que las farolas de la calle y la luna iluminasen la *suite*. Allí estaba la cama sin hacer, las toallas por el suelo, las sábanas revueltas tras la última noche con la mujer del kimono –la que él se había prometido, una vez más, que sería la última–. Salió al pasillo y gritó.

–¿No hay nadie?

Bajó a la planta inferior, repitiendo sus preguntas al vacío. Entonces vio que de la habitación de Benmoussa salía la mujer, con su kimono medio abierto y un cigarrillo suspendido en la boca –un diminuto punto naranja en medio de las sombras.

–¿Qué ha pasado? –preguntó ansiosamente.

Ella lo miró de frente y rió. Sus dientes brillaron. Su rostro era más anguloso, casi desconocido. Rió durante unos segundos, como una desquiciada. Después se quedó seria, súbitamente seria, dio una profunda calada al cigarrillo y lo envolvió en una nube de humo. Tejada lo aspiró con gusto.

–Han cortado la luz –anunció la mujer con placidez–. Lo siguiente será el agua.

Tejada guardó silencio. Ella continuó:

–Sin electricidad, sin teléfono, sin internet, sin televisión. ¿Lo ves? Así andamos.

—Y sin cinturón vibratorio.

—Y sin cinturón vibratorio –repitió ella.

Tejada se dio la vuelta y regresó a su habitación arrastrando los pies. Algo le estaba doliendo con un dolor no identificable. Se agarró el pecho con una mano, pero no pudo sentir su corazón. La mujer del kimono se quedó en medio del pasillo, apoyada sobre una pared, pesada, como plantada sobre el suelo, mostrando los muslos que bajo la penumbra se veían desgajados del resto de su cuerpo.

En el balconcillo, Tejada se agarró a la barandilla con el brazo sano. El aire caliente le trajo la certeza de que algo extraño estaba sucediendo, o había sucedido, o estaba a punto de suceder. Se le ocurrió que alguien en la Torre Grady también podía haber estado observando cada noche las luces en el Madison Lenox. Mientras Tejada hacía sus cábalas sobre códigos cifrados de ventanas encendidas y apagadas, alguien al otro lado —el portero antipático, las falsas hermanas depravadas, o quién sabía quién— hacía también sus cálculos sobre las luces en el hotel, dándole un significado concreto a su luz encendida, a su sombra acodada en el balcón, a su desnudez tras las cortinas. Y ahora ellos —los otros— habían ganado la partida. El Madison Lenox había enmudecido antes que la Torre Grady. Allí no había —no habría ya— más luces, mientras que en la Torre quedaban siete u ocho, desperdigadas, caóticas, separadas por huecos sin coherencia.

Suspiró. Empezaba a sentirse cansado, realmente cansado. Ni siquiera podía centrar bien la mirada. Aturdido, casi mareado, rodeado de manchas de color que bailaban ante él una danza absurda, le ardían las cuencas de los ojos. Sumergido en la sombra, percibió reverberaciones lejanas sobre los edificios de Vado, una luminiscencia anaranjada que enmarcaba los perfiles de las construcciones en el horizonte: la mole rectangular de la Banca Pública, el redondo auditorio con su cúpula dorada, varios bloques de viviendas y de oficinas recortados como piezas de un juego de montaje, las galerías comerciales Luxury, con sus antiguos carteles invernales de modelos con gorros, abrigos y botas. El aire se había cargado de electricidad; la atmósfera irradiaba un fulgor extrañamente bello, pespunteado por el débil resplandor de las farolas. Las calles vacías y un apabullante silencio; eso era todo. Y sin embargo, había algo distinto. Esa luz, esas irradiaciones de color sangre que rodeaban la ciudad como si se tratase de un cielo artificial.

El olor vino un poco después: un olor a quemado, a goma chamuscada, a carbón. Olfateó como un animal. Oyó vagas sirenas a lo lejos, y sintió cómo se acercaban y cómo eran más y más fuertes. Algunas se cruzaron con otras formando una melodía inquietante. El ulular de los locos, pensó. Contempló la ciudad en la noche, bajo la luna sangrienta y asfixiada. Atolondrado y confuso, trató de inmovilizar su cabeza. No podía pensar con claridad; no podía razonar ni rumiar ningún tipo de idea útil o inteligente. Por no poder, ni siquiera podía rascarse bien la cabeza, con aquel cabestrillo incómodo que le tenía el cuello rozado y dolorido.

6. LOS ADIOSES

Aquella noche ardieron una treintena de edificios en distintos puntos de la ciudad, algunos de ellos tan grandiosos como el Gran Teatro de Vado, el moderno Hotel Carlton, el reciente Museo de Ciencias Aplicadas, las oficinas centrales de Ericsson, la sede de la General Motors, parte del estadio de fútbol y la última –y polémica– ampliación de la biblioteca universitaria, obra del arquitecto tailandés Piparon Namatra. Cayeron también dos comercios que de por sí ya estaban bastante ruinosos, y el restaurante japonés Go, famoso por sus variedades impagables de *sashimi*.

Sin duda se trató de incendios intencionados. Sólo una compleja organización podía conseguir que, simultáneamente, tanto en el centro como en ciertos puntos de la periferia de Vado, ardieran edificios que parecían haber sido escogidos escrupulosamente. En todos los casos fueron edificios abandonados. Ni siquiera quedaba nadie en ninguno de los Diez Mandamientos, aquellos bloques de viviendas marrones y planos que fueron los primeros en levantarse en el distrito de Beliches, y que ahora también habían caído, uno a uno, entre las llamas.

Una densa luz anaranjada cubrió la ciudad como una bóveda. Desde su balconcillo, Tejada vio pasar coches de bomberos y patrullas policiales, tanto en una dirección como en su contraria. Permaneció aspirando la atmósfera chamuscada hasta que se apagaron todas las luces de la Torre Grady, salvo una, en la planta nueve, si sus cálculos y sus ojos doloridos no le fallaban.

Cuando amaneció, telefoneó a Ariché para preguntarle si todo andaba bien por New Life. Ella le contestó con cierta sorna que allí estaban perfectamente. En ese caso, le informó él, llegaría un poco más tarde, quizá a mediodía. Tenía que hablar con Benmoussa para que le contase la otra parte de la historia. Necesitaba husmear entre los rescoldos, olfatear el aire quemado cuando ya todo el mundo se hubiera retirado. También quería acercarse hasta el puerto para ver a la niña. Los ancianos desdentados no le interesaban lo más mínimo. Cubrir el expediente tampoco era ya necesario.

Mientras caminaban por las calles todavía envueltas en humo, Benmoussa le confirmó que no había habido víctimas. Sólo algunos bomberos habían sido ingresados por inhalar gases tóxicos, pero era un resultado demasiado *benévolo* y sorprendente después de todo lo que había sucedido en aquella noche *diabólica*.

—Noche del Diablo, así la han llamado. ¿Lo *sabía?*

—No, no lo sabía.

—¿Y sabe por qué?

—Ardo en deseos de saberlo, jefe. Si me permite el juego de palabras.

—Es una tradición ancestral que aspira a la destrucción; el ansia, o quizá la *ambición,* de convertirse en un antidemiurgo, un anticreador; el mismo mecanismo de un Dios pero *invertido.* Esto es... ¡el Diablo!

—Qué estupidez.

Estaban llegando a los restos del Gran Teatro. En el aire flotaban pequeñísimas pavesas —restos tal vez de butacas, de cortinones, de madera de la tramoya, de disfraces—. Benmoussa, con el pelo tiznado de ceniza, se detuvo en seco y lo miró fingiendo indignación.

—¿Estupidez? Oiga, no sé si recuerda: soy un investigador *cualificado* del Institute for the Research of Urban Evolutions. He recibido *premios* por mis trabajos sobre grandes fenómenos migratorios. Tengo un máster de la Universidad de Pensilvania en *simbología* y migraciones. Mire, no me gusta alardear... ¡pero sé de lo que estoy hablando! ¡Detrás de todo esto hay una secta *diabólica!*

Mostró su carné de investigador a un policía que les gruñó tras el cordón de seguridad. El agente inspeccionó el documento encogiendo la frente y después, no muy convencido y sin dejar de mirar el brazo en cabestrillo de Tejada, les permitió cruzar la barrera. El edificio del Gran Teatro —una réplica reducida del Farnesio de Parma— había sido consumido por completo por las llamas. Únicamente habían resistido la estructura interior –con sus escalinatas cubiertas de cascotes– y parte de la fachada, completamente ennegrecida. Algunos muros calcinados seguían erguidos con una desalentadora obcecación. El techo se había derrumbado y toda la platea estaba destruida. Grandes amasijos de astillas se mezclaban con pedazos de las esculturas de estuco; brazos, piernas, cabezas destrozadas con sus rizos de yeso aún reconocibles.

Los bomberos trabajaban con lentitud y precisión en torno a los escombros. Lo que más sorprendió a Tejada fue su silencio. Actuaban con aséptica profesionalidad, como si aquélla fuese su rutina diaria. Apenas había media docena de curiosos tras el cordón policial. Las brillantes luces de los coches de bomberos seguían girando –ahora ya sin sirena– en medio del escenario humeante. Era como si le hubiesen quitado la voz a un informativo en la televisión, pensó Tejada, o como si se tratase del ensayo de una función teatral. Había esperado muchísimo jaleo: la prensa, multitud de viandantes, gritos de unos y de otros entrando y saliendo del colosal edificio en ruinas. Y sin embargo lo que quedaba era aquel abrumador silencio, una ausencia desazonadora y extraña, la sensación de simulacro, de pastiche, de irrealidad. El destino de los grandes teatros es siempre el fuego, se dijo Tejada. Y si la vida es un gran teatro, todos terminaremos quemados, concluyó.

Benmoussa se internó en las ruinas alzando las piernas con exageración para no estropear nada que en el

185

futuro pudiese resultar interesante. Avanzaba mirando al suelo y sólo levantaba la cabeza al detenerse, como oteando el territorio. A Tejada se le asemejó a un buitre paseándose entre despojos.

Incluso las aguas del río reflejaban los restos de las llamas, con una irradiación sanguínea y caldosa que Tejada observó intranquilo. La niña no estaba en el *Melisa*. La buscó por todo lo largo del paseo de cemento. La buscó entre los botes, detrás de los edificios de antiguos pubs y restaurantes, en el muelle, entre los restos devastados de veleros sin velas. Se encaminó después hacia Bocamanga sin convencimiento. Era todavía demasiado temprano.

En la plaza encontró al grupo de adolescentes. Ahora eran sólo tres. Intercambiaban monosílabos, una conversación corta y abrupta, sin matices. Uno de ellos le indicó con gesto hosco una dirección. Si la estaba buscando, le dijo, debía de estar en algún supermercado. Había ido a buscar unos vendajes para la herida del galgo. Se le había infectado, o ulcerado, o algo así, añadió el chico arrugando la nariz. Tenía al menos cuatro *piercings* visibles y el tatuaje de un dragón en el antebrazo. Tejada le dio las gracias.

A la residencia no fue hasta el día siguiente. Al principio, pensó que debería convocar una reunión de urgencia para tranquilizar los ánimos, pero después se le fueron las ganas y se limitó a pasearse por

186

los jardines. Se paró delante de los últimos viejitos, que se habían concentrado bajo el porche para esperarlo. Algunos se mantenían de pie, asidos a sus andadores y sus muletas; otros estaban sentados en un banco, muy apretados. Con las mejillas huesudas y pálidas y los ojos vidriosos mirando hacia el vacío, parecían un grupo de supervivientes de una catástrofe o los últimos especímenes de una raza en extinción. Tejada pensó que, a pesar de todo, en aquella estampa había algo sumamente cómico. Sin conmoverse, sin inquietarse, sin planes sobre lo que iba a decirles, abrió la boca y no dijo palabra. Todos lo miraron expectantes.

–Bien –soltó al fin como un globo que se desinfla–, ya ven que aquí no hay fuego.

Tras una mata de buganvillas, surgió la Clueca con los cabellos desmelenados, finos y blancos como una pelusa de algodón, y los ojos encendidos, rejuvenecidos por la ira.

–¡Mi Dios bendito acabará contigo, gran asesino y embustero! –gritó agitando a Pérez por la trompa–. ¡Me lo ha prometido y ten por seguro que lo hará! ¡Acabará contigo, cabronazo!

Tejada contrajo los labios y se volvió hacia los demás para explicarse: aquella mujer estaba como una cabra y él tenía la mala suerte de recordarle a alguien de su putrefacto pasado.

Un enfermero llegó y sujetó con fuerza la silla de ruedas. La Clueca se resistía. ¡Acabaría con él!, repitió varias veces. Su grito de guerra fue debilitándose a medida que el enfermero la llevaba de vuelta a su habitación. El resto de los viejos permaneció inmutable. Se había levantado una brisa que desplazó el aire caliente entre ellos. Una de las ancianas, con la expresión hierática, alzó su frágil mano moteada de pecas y se persignó con devoción murmurando *amén*. Tejada tuvo un escalofrío.

No fue difícil acostumbrarse al hotel sin luces. Todo lo que precisaba electricidad lo dejó para hacerlo en New Life, incluido el afeitado con su maquinilla de alta precisión y la carga del móvil en el que nunca recibía llamadas. Al Madison Lenox sólo iba para tumbarse en la cama, dormir a ratos y mirar las luces de la Torre Grady. Como un animal nocturno, se familiarizó con los pasillos en sombras, el tacto mullido de la moqueta y los pasamanos de las escaleras. La oscuridad también venía bien para otras cosas. La mujer apareció súbitamente embellecida. La seda del kimono resplandecía ahora bajo la tenue luz de los pilotitos automáticos, y su rostro abotargado de otros tiempos aparecía anguloso y fino entre las sombras. Desprovista de toda su vulgaridad, Tejada la imaginaba como un ser misterioso y evanescente. Sus encuentros se hicieron más frecuentes, también más salvajes y turbios. Una vez consiguió eyacular en ella, pero fue una eyaculación inconsistente y poco placentera; débil y sucia. Nunca más lograron repetirlo. Los perseguían la impotencia, los rencores y el miedo, aunque en voz baja se decían que era por el calor, y después, quizá para olvidar, bajaban y bebían todos los restos de las botellas que aún quedaban, mezclándolas sin distinguir. A veces sus figuras se iluminaban fugazmente con las ráfagas de los coches que cruzaban la avenida. Entonces Tejada la veía de una manera más real, fumando en una de las butacas con las piernas en alto, y sentía culpa y asco, por ella y por sí mismo.

Hubo más incendios en las siguientes noches, aunque más aislados y de menor importancia. Benmoussa insistía en teorizar sobre conspiraciones diabólicas y reconstrucciones invertidas, mientras que para Tejada se trataba simplemente de la rebeldía estéril de un grupo hastiado por el abandono.

–Intentan llamar la atención, eso es todo.

–Pensar eso, discúlpeme, es una *simpleza*. Está claro que aquí subyace un propósito firme, un plan *maquiavélicamente* trazado.

–Hay otra alternativa, aunque no sirve para nada que se la diga.

–¿Qué alternativa?

–Una lo suficientemente simple para que crea en ella. Es demasiado cabezota para escucharme. Yo no soy mejor, jefe, pero al menos reconozco no entender nada y admito incluso lo que no entiendo.

Benmoussa fotografió un autobús incendiado –y previamente abandonado– en el que aún se distinguían algunos grafitis. Las puertas y las ventanas del vehículo eran ojos y bocas de muñecos que fumaban, maldecían o vomitaban. Los neumáticos estaban reventados y el interior del vehículo –asientos, agarraderos, puesto de conducción– calcinado por completo. Benmoussa miró alrededor.

–Algunos edificios se caen. Es un *peligro*.

–Qué más da, que se desplomen enteros. No van a pillar a nadie de todos modos.

Junto a unos contenedores se toparon con una comadreja que trasteaba entre la basura. Con su brillante pelaje castaño salpicado de bolitas de embalaje, los miró sin sorpresa y ni siquiera trató de huir. Encontrarse con animales salvajes –iguanas, zorros, lagartos, ardillas– no era infrecuente. Lo llamativo, pensó Tejada, eran las personas. Observó las zancadas elásticas de Benmoussa y preguntó:

–¿Está casado, jefe?

Benmoussa lo miró con desconcierto.

–¿Casado? No, no. Soy soltero –después sonrió–. He tenido mis amigas; claro... Pero comprenderá, un investigador que viaja por los cinco *continentes* no puede aspirar a una vida familiar.

–¿Aspira a una vida familiar?

–No. No, ciertamente.

–¿Y qué tal con la recepcionista?

–¿La recepcionista?

–La recepcionista del Madison. La otra noche la vi salir de su habitación.

–¿La otra noche? –Benmoussa enrojeció y giró sus ojos con nerviosismo–. ¿Qué noche? ¿La otra noche, dice? Ah, quizá vino a traerme algo... quizá estaba *arreglando* el cuarto, qué sé yo...

–¿Se avergüenza de ella, jefe?

—¿Me *avergüenzo?* ¿Por qué iba a avergonzarme? No sé a qué se refiere.

—La vi salir medio desnuda de su habitación, con el kimono abierto y sin sujetador. No sé si en su habitación pasa la aspiradora con esa indumentaria. La mía, desde luego, hace semanas que no la limpia.

—No sé, Tejada, no tengo ni idea de lo que me habla. De verdad que no.

Tejada rió por lo bajo. Pobre diablo, pensó, así como yo no puedo comprender mi tristeza tampoco él puede comprender su vergüenza.

—¿Esto es lo que encontraste? —preguntó señalando a Tifón.

La niña le había colocado torpemente un par de esparadrapos que dejaban fuera la mitad de la herida, con sus costrones de sangre reseca. El animal se los había arrancado varias veces, pero ella insistía en recolocárselos. El aspecto de la herida no era demasiado bueno. Tifón respiraba con dificultad mientras los miraba como si entendiese su conversación. La niña escarbaba con un palo en el suelo y hablaba sin mirarlo.

—¿Crees que debería llevarlo al veterinario?

—Quizá. El problema es encontrar un veterinario en Vado.

—Y si no lo encontrara, ¿lo curarías tú?

—Sí, yo lo curaría.

—¿Te ocuparás de él cuando me vaya?

Tejada se rascó las sienes y miró hacia el horizonte de Bocamanga. Allí el cielo también tenía ahora una luz distinta: anaranjada y sucia, la luz de los incendios y las demoliciones. Un grupo de palomas en el centro de la plaza picoteaba con desorden, peleándose y batiendo sus alas con fiereza.

—¿Ya tienes preparado todo tu equipaje?

—Sí, sí. Además mi padre me ha dejado llevar la maleta con los tesoros. No me ha puesto pegas.

—¿Y qué hay de tu madre?

—Bueno, la sacó de la habitación mientras yo estaba en el colegio. Cuando volví me dijo que se había ido antes para ir arreglando las cosas en la nueva casa y tenerlo todo preparado.

—¿Y no le preguntaste cómo era posible eso? Uno no se levanta de un día para otro y se va a organizar una mudanza cuando está tan enfermo.

—Ya. Pero no le dije nada. Me da pena verlo mentir.

Tejada la miró atentamente. Ella seguía haciendo dibujos con su palo en la tierra. Parecía estar creciendo por días. Las piernas se le habían alargado y eran más fuertes, más femeninas. El pelo le caía sobre el cuello y formaba curvas como pequeños interrogantes. Pero ella se empeñaba en que la llamara Miguel. Ella era un chico.

—También tú mientes para venir aquí.

—No me gusta desobedecer, pero tengo que ver a Tifón.

—¿No vienes a verme a mí?

—No. Mi padre no quiere que te vea.

—¿Tu padre sabe que yo existo? —El corazón comenzó a bombearle con más fuerza.

192

–Sí –dijo ella levantando la cabeza–. Alguien se lo ha contado.

Tejada guardó silencio. Sintió la inmediatez de su partida con un dolor inédito. Tragó saliva y la cogió de la mano.

Fue como una ejecución. Una pena de muerte consumada en medio de la plaza. Simbólica y ejemplarizante, como todas las ejecuciones públicas.

Sin embargo, no hubo muchos espectadores. Sólo se congregaron unos cuantos, gente que aún quedaba en los barrios cercanos a Beliches o curiosos que madrugaron para llegar desde otros lugares de Vado. Formaban un grupo anómalo. Más bien cabizbajos, se apretaron en silencio tras los cordones de protección. Tejada y Benmoussa avanzaron todo lo que pudieron entre el gentío para coger una buena vista. Frente a ellos se erigía el octavo mandamiento de Beliches, a punto del derrumbe.

Estaba amaneciendo y la luz era inusualmente hermosa; una luz limpia, casi costera. Un rayo de sol entró en el edificio e iluminó sus restos carbonizados. Algunas de las plantas mantenían la estructura de las viviendas, con sus tabiques a medio derruir. Aguzando la vista podían verse pedazos de muebles, inundados ahora por aquella luz cruel: un sofá de color rosa, un sillón orejero estampado, televisores reventados y colchones con sus tripas de espuma. Entonces sonó la última sirena y alguien dio un grito de orden. Bien, se dijo Tejada, ha llegado el momento.

Durante unos segundos hubo una serie de detonaciones, y después decenas y decenas de pequeños estallidos producidos por cargas explosivas; un persistente bombardeo para minar los cimientos de la construcción; metralla en los pies del condenado. Cuando los oídos se acostumbraron al petardeo, atronó una gran explosión en la base izquierda del bloque, que comenzó a desplomarse entre nubes de polvo y de humo, como un hombre que se arrodillara al recibir un disparo en la pierna. Como aquel perro, pensó Tejada no sin abatimiento. Mientras aquella parte del edificio desaparecía, la derecha permanecía en pie, con sus ventanas, sus aleros, sus cornisas, sus muros renegridos pero intactos. Una cascada de humo y escombros cayó sobre la avenida.

A gran velocidad, las nubes se alzaron en montones de masa que parecían agua o gigantescos trozos de miga de pan. Tras caer, la cascada de nubes volvió a levantarse y a engullir el edificio de una dentellada. Creció hasta llegar al sexto piso y entonces, como guillotinado, el bloque se derrumbó y se sumergió por completo entre el polvo. Durante unos segundos sólo quedó una masa más grande que el propio edificio, creciendo y decreciendo, respirando y latiendo como un organismo que tuviera vida propia.

El día se oscureció por completo.

Cuando las aglomeraciones de polvo fueron disipándose, se reveló un escenario fantasmal: una montaña de cascotes y escombros entre la noche artificial; despojos de una carnicería de piedra. La avenida había quedado cubierta por una capa de polvo de varios

centímetros; las aceras, una parada de autobús, los semáforos y las farolas estaban también envueltos en
polvo. Tejada sintió que el vello se le erizaba y supo
que no era por compasión. Aquel era un espectáculo
bello, extraño, desasosegante y turbador. Un espectáculo único, más intenso incluso que el del fuego. El
desplome había tenido lugar en el tiempo que dura
un pestañeo. La destrucción puede ser inquietante-
mente rápida, pensó. Rápida e irreversible.

Se tocó el pelo, su textura áspera y arenosa. Un
poco más allá, Benmoussa limpiaba con frenesí el ob-
jetivo de su cámara, con las lentes de sus gafas opacas.
Por todos lados había partículas en suspensión; Tejada podía sentirlas mientras respiraba, pegadas en las
aletas de la nariz y en los labios. La gente se sacudía la
ropa como el que acaba de finalizar un trabajo inde-
seable. La hermosa luz del amanecer se había convertido ahora en una luz amarillenta, pálida, espesa, sór-
dida, con un reflejo cobrizo como de muerte.

Estaba en su despacho, abanicándose con la camisa abierta y los zapatos quitados, cuando su móvil
vibró. Lo cogió con ansiedad. Sudaba a chorros.

–¿Hola? ¡Hola! ¿Qué tal va todo, Chico Quinto?

–...

–Sí, sí, hablé con Negroni. Dime, ¿qué tal va
todo?

–...

–¿Dónde? ¿Cómo? ¿En serio? ¡No puede ser! ¿Estás tomándome el pelo?

–...

–A ver..., vamos a ver si lo entiendo..., te dejo a cargo del caso, arreglo un anticipo con el estirado de Negroni, un buen anticipo, dicho sea de paso, te facilito todos los datos, te doy órdenes precisas, te lo doy todo. ¿Y ahora vienes a decirme esto? ¿Ninguna negociación? Pero ¿cómo pueden negarse incluso a una entrevista? ¿Qué clase de locura es ésta?

–...

–No, no, mira, Quinto, no me pongas excusas. Vas a ir a hablar con ellos de todos modos. Vas a presentarte allí sea como sea. Tiras la puerta si es preciso. Te presentas allí, ¿me oyes?; te presentas y les dices: Francisco Tejada tiene listo un acuerdo inmejorable. Antes de rechazarlo debéis escucharlo. No sabéis lo que podéis perder si no lo hacéis. Pero todo esto lo dices en tono contundente y muy serio, que te conozco; nada de amenazas. Con absoluta imparcialidad, como si no te fuese nada en ello, como si a mí mismo tampoco me afectara. Que piensen que somos nosotros los que controlamos y que sólo les queda adaptarse. No les digas que propongo un acuerdo; diles que lo tengo listo. No uses el verbo proponer, ¿me oyes? Aquí no se propone nada. Se impone y punto.

–...

–Mira, no me vengas con gilipolleces. Haz lo que te digo. He confiado siempre en ti; no me defraudes ahora, maldito seas. Fui yo quien te sacó de la cochiquera, recuérdalo. Sin mí no serías nadie. Estarías limpiando baños en el McDonald's.

–...

196

–La semana que viene. Sí, más o menos la semana que viene. Te avisaré. Pero llámame cuando haya novedades. De acuerdo, gracias, de acuerdo... ¡Espera!... Trabaja bien, por tu madre, Chico Quinto. Te saqué de la cochiquera, mierda, no lo olvides. Estarías limpiando mierda, ¿me oyes? ¡Te saqué yo, no ellos!

Colgó y se asomó a la ventana del despacho. Apoyó la frente sobre los cristales churretosos. Bajo la pérgola, la *maup* –con sus dos estiradas coletas y las pantorrillas firmes y musculosas– hacía ejercicios de calentamiento ante siete viejos achacosos. Desplegó los brazos en círculo y levantó el cuello hacia el cielo, con los ojos cerrados. Después los abrió y vio a Tejada en la ventana. Agitó su mano bronceada mientras gritaba algo, sonriente. Tejada asintió sin oírla.

–Pérez, Pérez querido –susurró la Clueca–. ¿Sabes quién ha venido hoy a verme?

Le acariciaba con brusquedad la trompa y las orejas interactivas. La piel de Pérez estaba despeluchada y sucia, llena de migas de pan. El elefantito encendió sus ojos azules, un único y corto parpadeo para que ella pudiese continuar sus confidencias.

–Vino Catalino.

Miró hacia los lados. No había nadie por los alrededores. Hasta los gatos huían de ella, arqueando el lomo cuando la veían pasar en su silla de ruedas.

–¿Qué te parece? ¿No me dices nada?

La batería de Pérez estaba casi agotada. La Clueca le apretó una de las patas hasta que barritó débilmente.

197

–Catalino es el único que me quiere. Estaba escondido detrás de la verja. Yo lo vi con mis propios ojos; él me silbó y me guiñó un ojo. Esta pobre vieja no puede andar, Pérez, pero todavía puede ver bien de lejos. Era Catalino.

Avanzó un poco más hasta un arbusto de jazmines. Encaramándose con esfuerzo arrancó un puñado de flores. Estaban algo pasadas, amarronadas por los bordes. Puso las flores sobre la cuenca de su mano y sopló para que se desperdigasen. Rió durante un buen rato viéndolas caer sobre sus piernas.

–Pérez, Pérez querido, no debes decírselo a nadie, pero yo creo que Catalino está tramando algo. Me sacará de aquí, ya lo verás. Será como un príncipe azul rescatando a su princesa de la jaula. Me sacará de aquí. Ya lo verás, Pérez, ya lo verás.

Ariché golpeó con los nudillos en la puerta del despacho, apenas un toque rápido. Tejada se despertó sobresaltado. Una marca de babas había quedado sobre el cuello de su camisa. Cuando abrió los ojos del todo, ella ya estaba dentro.

–Hay un hombre aquí que quiere verle.

–Gracias, Atardecer.

Se frotó el hombro entumecido con la yema de los dedos y añadió:

–Antes de que pase, dime, querida, ¿sigues molesta conmigo?

–No. Estoy cansada. Eso es todo.

–Me gustaría hablar contigo algún día.

—Para qué. Andamos escasos de tiempo.

—Ya encontraremos el momento. Siempre se encuentra el momento. Hasta dormidos puede ser el momento. El tiempo avanza siempre. Fíjate: ayer tenía las heridas abiertas y hoy ya tengo el brazo curado. Dime, ¿quién es ese hombre que espera ahí fuera?

—Se lo he preguntado, pero no quiere decírmelo. Un tema personal, dice.

Tejada se miró las manos, las movió arriba y abajo, palmeó y le dijo que de acuerdo, que hiciese pasar a quienquiera que fuese que estaba ahí agazapado. Pensó en Benmoussa o en Chico Quinto, pensó incluso en Negroni, pero bajo el marco de la puerta apareció un hombre desconocido; un tipo menudo, envejecido, cetrino, con aspecto de abatimiento infinito. Tejada le pidió que se sentase frente a él. Recordó que en esa misma situación se había encontrado él mismo frente al doctor Carvajal. La diferencia era que entonces ambos sabían con qué cartas jugaban. Ahora, sin embargo, no tenía ni idea de cuál era el juego. Miró al hombre y notó que algo en él le resultaba vagamente familiar.

—¿Y bien? —le dijo—. ¿Con quién tengo el gusto...?

—Menos diplomacia, doctor. Ha estado viéndose con mi hija.

Tejada titubeó. ¿Carlos Madison? ¡Pero no podía ser! En el caso de que existiera realmente, el emperador de las comunicaciones debía de ser un septuagenario. Y sin duda, a pesar de las bolsas y las ojeras, de las manos hinchadas y de las canas, aquel hombre era

199

bastante más joven que eso. Era incluso más joven que él mismo.

—¿Su hija? Yo no he estado viéndome con la hija de nadie.

—No seas cobarde. Hasta ella misma lo ha reconocido.

Lo comprendió todo de pronto. El hombre de la mujer de goma. Y ahora el tipo estaba furioso, se había levantado hasta acercarse a un palmo de él y lo miraba amenazador, bizqueando y echándole sobre la frente el aliento.

—¿La tocabas, maldito hijo de perra? ¿Tocabas a mi niña cuando quedabas con ella? —Levantó un puño y lo dejó en suspenso, a unos centímetros de su nariz. Después lo bajó lentamente, cambió el tono—. Ella dice que no. Asegura que no... pero ¿cómo puedo creerla? ¿Quién carajo eres tú para quedar con mi hija?

Por su mirada cruzaron expresiones de furia y desazón, de curiosidad e impaciencia, de desconcierto y determinación. Sus pupilas se dilataron y contrajeron repetidamente. Tejada pensó que quizá había tomado drogas.

—Yo no quedaba con nadie —rumió—. Ella estaba sola. No comprendo qué hace una niña sola por la calle en estos tiempos.

—No es de tu incumbencia.

—Supongo que no. Pero da la casualidad de que yo también estaba por allí. Hablamos. Me pidió que la ayudase a cuidar a un perro. Eso fue todo.

—¡Trajo piojos a casa! ¡Permitiste que cogiese piojos de ese animal!

–Mire, no es mi responsabilidad. Era usted quien permitía que su hija anduviera sola por allí. Se hinchaba de darle besos y abrazos al perro antes de conocerme.

–¿Y luego te los dio a ti? Los besos y los abrazos, ¿te los dio a ti? –La mirada había vuelto a inflamársele de ira–. ¿Y esa tontería de llamarse Miguel? ¿Desde cuándo una niña se llama Miguel?

–Lo inventó ella.

–Ella dice que tú la llamabas así. ¿Qué tipo de fantasías tienes, malnacido? ¿Te gustan las niñas con nombre de niños, o los andróginos, o qué mierda es lo que te pone?

Entonces se derrumbó. Curvó su espalda sobre la mesa y se quedó boca abajo, sollozando como un crío. Tejada le dio una servilleta para que se limpiase los mocos. Su mujer –explicó entre hipidos–, su mujer se había marchado casi al principio. Ni siquiera se ofreció a llevarse a la niña.

–De todos modos, yo la quería conmigo. Nuestro hogar está en Vado, ¿comprende? –Levantó la cabeza gimoteando–. Yo no quería irme. Quería que mi hija viviese aquí, con los suyos, en su barrio, con nuestra gente.

–Ya es usted afortunado si sabe determinar qué significa eso de *nuestra gente.*

El hombre no lo escuchó. Siguió sollozando, hablando de sus esperanzas de que ella volviera y de cómo no había conseguido reunir fuerzas para sentar a la niña y decirle, con toda la solemnidad que se precisa, que su pobre mamá se había marchado de la ciudad con los nervios desgastados y un cargamento de tranquimazines en la maleta. ¿Cómo puede una niña entender algo así?, gritó aporreando la mesa. La foto de la mujer morena se volcó y el marco quedó hecho trizas. Tejada desvió su atención. De todos modos, ya se sabía el final. Conocía el truco del maniquí y cómo lo había metido en la cama con mimo y lo había arropado hasta las narices, y cómo había echado las cortinas y le había contado a la niña que mamá estaba muy malita, que no se la debía molestar, que lo mejor era incluso hablarle desde la puerta porque no soportaba la luz ni los ruidos.

–¿Ella llegó a creerlo? –preguntó.

–No lo sé. A veces yo entraba en la habitación y ella se quedaba fuera mirando. Yo me las arreglaba para moverle algún brazo debajo de las sábanas. Incluso llegué a imitar su voz.

–Un truco magnífico. Pero olvidó que su hija ya tiene nueve años. Ni siquiera un bebé se creería ese cuento.

El hombre levantó la cabeza. Tenía los ojos enrojecidos. Le temblaban los dedos de las manos. A Tejada le resultó entre ridículo e irritante.

–Vamos, vamos. Su vida es como cualquier otra vida. ¿No va a reunirse ahora con su mujer?

El hombre comenzó a llorar de nuevo: estaba claro que no. Pero Tejada tenía sueño. Si aquel hombre se marchaba, todavía podría retomar su siesta. Bueno, bueno, bueno, le dijo en tono conciliador. Lo ayudó a levantarse, le dio varios golpecitos en la espalda y lo condujo hacia la puerta. Sin dejar de sorberse los mocos y consumido por sus propios hipidos, el hombre murmuró algunos agradecimientos entrecortados. En el pasillo se abrazaron con fraternidad, como dos viejos amigos. Entonces el hombre se le quedó mirando, bizqueó de nuevo y su expresión se volvió hosca y oscura.

–¡Maldito hijo de puta! –aulló–. ¡No se te ocurra acercarte nunca más a mi niña!

Apenas tuvo tiempo para defenderse: el golpe le estalló en mitad de la cara. Después, mientras el hombre se alejaba farfullando insultos, él se quedó en el centro del pasillo, tambaleándose y con las manos sujetando la nariz ensangrentada y rota.

Subió a su habitación evitando a la mujer del kimono. Subió a tientas, como siempre, y recorrió los pasillos con lentitud, cansado, con la nariz ardiente, sintiendo los latidos de la herida. Se dio una ducha a oscuras y se miró al espejo en sombras. Sus pequeños dientes amarillentos resplandecían en el reflejo. La nariz era una gran mancha oscura en medio de la cara. Qué miserable, se dijo, sin saber muy bien si se estaba refiriendo al padre de la niña, a sí mismo o a ambos.

En la Torre Grady sólo quedaban tres luces encendidas. Tres luces que ya no eran un misterio. El código no decía nada, no existía. Era como el balbuceo de un hombre demente o el jadeo de un agonizante. Y ahora él estaba ahí, sin poder respirar, boqueando, comprendiendo que quizá las ventanas apagadas no pertenecían a gente que se había ido, sino a gente a la que también habían cortado la luz, y que detrás de ellas se agazapaban –como él mismo– personajes en sombra, sin contornos ni perfiles, asfixiados como ratas en agujeros. Pensó en las dos mujeres, la morena y la rubia, rubensianas y bellas, arcaicas. Quizá estaban ahora sentadas la una junto a la otra, desnudas y sudorosas, mirando hacia el Madison Lenox y diciéndose sin palabras que él también –como todos los otros que las visitaban–, él, el reservado caballero del brazo en cabestrillo, también se había terminado marchando de la ciudad.

La mujer del kimono lo sacó de sus ensoñaciones. Entró sin llamar, descalza y con el pelo enmarañado. Llevaba un par de vasos en una mano y una botella de Johnny Walker en la otra, posiblemente la última botella que quedaba en todo el hotel. Miró a Tejada y le rozó con los dedos la nariz.

–¿Qué te ha pasado ahora?

Tejada se sirvió una copa sin contestar. Ella tuvo que prepararse la suya. A la luz de las farolas de la avenida se veía el vello de sus piernas a través del kimono entreabierto. Desigual, lacio, suave; a Tejada le parecía que aquel vello era el símbolo de toda la ciudad. La mujer encendió un cigarrillo, aspiró una calada y habló.

–Tienes que recoger tus cosas. Mi padre ha anunciado el cierre del hotel. No ha querido escucharme.

Echaría un candado sobre la puerta y después mandaría tapiar la entrada. Eran las instrucciones precisas e incontestables del señor Carlos Madison. Le había ofrecido también todo el dinero necesario para marcharse de allí. Para irse de Vado, irse a cualquier otra ciudad donde quisiera, en el país o en el extranjero, siempre que fuese lo bastante lejos de él.

–¿Y qué harás?

–Me quedaré en Vado. Buscaré alojamiento en cualquier otro sitio. Ahí enfrente debe de haber un montón de apartamentos vacíos. –Señaló con la cabeza las ventanas de la Torre Grady.

–Estás loca. Completamente loca.

Terminaron la botella en silencio.

El silencio en el puerto era ahora más hondo que nunca. Las aguas del río ondeaban débilmente; en algunos puntos se acumulaban pegotones de espuma de un extraño tono bilioso, con las crestas casi negras. El olor era ácido. El viento y las gaviotas, chirriantes. La silueta del tren reverberaba al fondo. De lejos –cerrando los ojos– un rumor repetido como de coches o de maquinaria. Eso era todo. Tejada sabía que no tendría que buscarla: ella ya no estaba. Se había marchado y el puerto era ahora solamente un puerto.

Caminó con las manos cruzadas a la espalda imaginando cómo había sido aquello en otros tiempos, con su carril bici lleno de familias y muchachas lindas con sus vestidos cortos y sus sandalias. Puestos de bebidas, de perritos calientes, de helados, de gofres. Puestos de todo, patrocinadores de eventos, márketing a raudales. Imbéciles en calzonas haciendo *footing*. Vendedores de globos, de palomitas de maíz, repartidores de propaganda, encuestadores.

Llegó hasta el *Melisa*. El bote era ahora solamente un bote. Un bote verde, viejo, anticuado, cursi. El bote era ahora solamente un bote, *Melisa* era ahora solamente un nombre, el galgo que se asomaba al acercarse era ahora solamente un perro.

Pero movió el rabo al verlo allí, todavía con restos de esparadrapo adheridos al lomo. Tejada abrió la bolsa y volcó la comida sobre el suelo. El animal lo miró con sus ojos empañados y se quedó inmóvil.

–Vamos. ¿No tienes hambre?

Ni siquiera en el tipo que le había aporreado la nariz la mañana anterior había visto Tejada una mirada tan triste. Ni siquiera en la mujer del kimono, ni en Ariché, ni en el Viejo; ni siquiera entre el público que contempló la demolición del octavo mandamiento de Beliches como el que asiste al funeral de un ser querido. Al perro le costaba trabajo abrir los ojos, pero la intensidad de su mirada era abrumadora. No, aquel perro no era solamente un perro.

–Ven. Vamos, ven –susurró Tejada.

Tifón se acercó con suavidad. Al apoyar las patas se le elevaban los huesos sobre el lomo, tan afilados que parecía que podrían romperle la piel en cualquier momento. Tejada le puso la mano sobre la frente, con rigidez. Ni siquiera sabía cómo se acaricia un perro.

7. EL FIN

Acababa de ponerse la camisa cuando Benmoussa llamó a su puerta, con la maleta preparada a los pies y su decisión pendiendo de la boca.

–No me voy porque haya cerrado el hotel. Pero me voy porque ha cerrado el hotel. Parece una contradicción, pero podría explicársela si me dedica un *minuto*.

Tejada lo interrumpió. Por favor, no más teorías conspiranoicas. El hotel cerraba al igual que habían cerrado el Esturión, el Vips o El Corte Inglés, al igual que tantas otras tiendas y bares, que el casino, los multicines y todo lo demás. Desde el rellano, Benmoussa lo miraba ansiosamente. ¿Cómo podía estar tan ciego?, le repetía. ¿No se daba cuenta del peligro?

–Le guste o no, el Madison Lenox había sido nuestro cuartel *general*. Ahora nos quedamos desprotegidos. Todas las pruebas, todos los documentos, todos los datos, las fotografías y los vídeos, *todo* lo que no nos habían robado todavía, estaba aquí a buen re-

207

caudo. Ya no disponemos de ningún lugar seguro donde almacenar esa *importantísima* información.

–¿Cómo que no? Basta con buscar otro hotel abierto. Menuda tontería.

–Oh, me perdonará, pero la tontería es justamente caer en esa trampa. Tratan de conducirnos hasta otro *sitio...*, pretenden engañarnos, acorralarnos, ¡guiarnos hasta su *guarida!* ¿No recuerda lo que sucedió en el tren? Aquel robo ya fue bastante indicativo, ¿no cree? ¿Y qué me dice de las *agresiones?* Tiene la nariz rota..., ¿piensa que no me he dado cuenta? ¡Hasta miedo me da preguntarle!

Tejada suspiró. En otro contexto, todo eso le hubiese hecho reír pero ahora solamente podía aburrirle. La sensación del juego ya jugado, pensó, y entonces el investigador, sonriendo con timidez, le pidió que lo acompañara a la estación. Desde allí, le explicó, tomaría un tren hasta Cárdenas y luego un vuelo directo a Londres, donde lo recogerían sus compañeros del EURI. Si no tenía mucho que hacer, añadió. Tejada aceptó, pero le hizo esperar en la puerta hasta que estuvo preparado.

Caminaron con lentitud por las calles vacías. Benmoussa sudaba tirando del equipaje. El chirrido de las ruedecillas de la maleta era el único ruido que los escoltaba.

–¿Nunca se ha preguntado por qué hace tanto calor? –dijo.

–¿Quizá porque estamos en verano?

–¿Un verano que dura ya seis meses?

–¿Por qué no, jefe? Es el cambio climático.

–Piense un momento, Tejada. En todo el tiempo que lleva aquí, ¿cuántas veces ha llovido?

Tejada hizo un esfuerzo por recordar.

–Aquella tormenta... el día que estuvimos en el polígono.

–¿Lo ve? A eso me refiero. Salvo esa tormenta no ha habido nada más. ¿Le parece normal?

No, no lo era. No lo era en absoluto. Pero ¿qué cabía deducir de esa sequía? Hasta el momento, Tejada se había limitado a maldecir el calor, sin buscar explicaciones.

–¿También piensa que nos manipulan el clima? –rió entre dientes.

No había que descartarlo, respondió Benmoussa. Habló de un efecto invernadero artificial que forzaba a la población a la migración masiva. Las emisiones de gases se habían disparado, sobre todo las de metano y óxido de nitrógeno. Para colmo, los últimos incendios, en los que se habían quemado cantidades ingentes de plástico, habían producido aún más radiaciones.

–Eso sin tener en cuenta los vertidos *descontrolados* de las fábricas...

–Pero si ya no funciona ninguna fábrica, jefe...

–Da igual. Compruebe cómo está el río. He hecho mediciones directas. Los índices de contaminación son abrumadores. Eso es *innegable,* Tejada. Pero no es sólo eso. Es todo en esta ciudad. Sufrimos de *dermatitis.* Cada día se nos cae un pedazo de piel.

Habían llegado a la estación y se habían sentado en uno de los bancos del andén. Decenas de pájaros volaban en el interior, rozando el techo. Gorriones, palomas y vencejos, chocando unos contra otros. En algunas zonas el suelo estaba cubierto de cristales. Cuando el sol entraba por algún agujero, toda la superficie del andén brillaba. Miraron los pájaros y Benmoussa habló de la alteración *faunística,* de los cambios de *floración.* ¿Tampoco se había dado cuenta Tejada de eso? Las plantas echaban flores a *destiempo* y se marchitaban de un día para otro, animales foráneos —reptiles, mustélidos que jamás se habían visto antes— recorrían Vado sin control, los depredadores se convertían en *depredados* y viceversa. Tejada habló:

—No sea absurdo, jefe. Las plantas se secan porque nadie las riega. Y esos animales raros no son más que mascotas abandonadas.

—Se empeña siempre en contradecirme.

Parpadeó y lo miró tristemente con sus ojillos miopes. Tejada le devolvió la mirada y lo vio consumido, macilento. Quizá no estaba loco. Quizá estaba solamente enfermo. No era fácil saberlo, y ya tampoco merecía la pena averiguarlo: posiblemente nunca más volvería a verlo. Suspiró con alivio cuando oyó el tren acercándose a la estación. Lo ayudó a subir sus cosas —sus valiosas cosas— y lo despidió con un torpe abrazo.

—No puedo irme sin decir la verdad —dijo el investigador en el último momento, atropellándose, la nuez de la garganta moviéndose arriba y abajo, con desasosiego—. La recepcionista y yo..., nosotros..., en fin, usted tenía razón. Discúlpeme. Ya sé que ustedes..., ya sé que ella..., pero compréndame... La soledad es mala.

210

–Oh, no se preocupe, jefe –contestó él riendo–. No me ofende en absoluto. A mí ya no me duele nadie.

Benmoussa se sonrojó y subió al vagón. Cuando el tren arrancó, se asomó por la ventanilla y ondeó los dedos tímidamente. Tejada contempló cómo se empequeñecía en la distancia, entre el humo y los rayos de sol que conseguían relucir a pesar de toda aquella opacidad.

Volvió al Madison Lenox con las manos en los bolsillos. No, a mí ya no me duele nadie, murmuró para sí, como un conjuro. También él tenía que recoger sus cosas.

El aire caliente abofeteó a Tejada en plena cara cuando bajó al muelle. Última vez, se dijo. No había llegado hasta allí para saldar cuentas. Ni para tranquilizar su conciencia. Era por ella, sólo por ella, se repitió, sin determinar a quién correspondía exactamente el concepto de *ella*.

Caminó ensimismado, con la cabeza gacha, contando sus pasos sobre las losas. El sudor le resbalaba desde la frente hasta los párpados y le impedía ver con claridad. Alzó la vista y achicó los ojos. Había un hombre sentado en uno de los bancos de piedra. Se acercó poco a poco hasta que la silueta se terminó de perfilar. El hombre agarraba con fuerza una muleta. Era bajito, casi enano, y llevaba una enorme alza añadida a uno de los zapatos. Estaba muy pálido y respiraba con dificultad. Un par de gaviotas revoloteaban en torno. Tejada lo saludó con la cabeza, sin decir nada; el hombre res-

211

pondió del mismo modo. El puerto era el lugar de los solitarios, pensó, no era nada raro.

Continuó hasta el *Melisa,* sintiendo en la espalda la mirada del hombre, y se metió en la barcaza. Había excrementos de perro repartidos por toda la borda, pero Tifón no estaba allí. Se encajó dos dedos en la boca y silbó con fuerza. Su silbido atravesó todo el puerto y espantó a las gaviotas. Caminó de vuelta, decidido.

–¿Ha visto un galgo por aquí? Atigrado, con un collarín rojo.

El hombre lo miró con seriedad. Sus pómulos afilados y la barba rala y descuidada le daban un aspecto derrotado. Estiró sus piernas desiguales y apuntó con la muleta hacia los pisos de Bocamanga.

–Un perro más o menos así iba hacia allá.

–¿Hace mucho?

–No sé. Ni siquiera sé cuánto tiempo llevo aquí sentado. ¿Ha perdido a su perro?

–Más o menos.

–Pues si es su perro debe saber que está en las últimas.

–Lo sé.

–Entonces aténgase a las consecuencias. Quien maltrata a un perro condena su alma.

Tejada se rascó la cabeza con impaciencia. Quien maltrata a un perro condena su alma, repitió para sí pensando en Elena. Observó al hombre con curiosidad. Llevaba en el bolsillo de la camisa una chapa con el lema *I love Vado.* Adheridos a su barba, colgaban pedacitos de patatas fritas. Había arrojado el paquete vacío a sus pies.

212

–¿Qué hace usted aquí? –preguntó.

–Contabilizo los perros que otros abandonan.

–No me diga.

El hombre sonrió.

–No. Sería una tarea imposible.

Tejada se sentó a su lado. Anochecía con brusquedad, las sombras se derramaban poco a poco sobre las opacas aguas del río. El hombre comenzó a hablar con voz casi inaudible. Hablaba como si rumiara las palabras, como si no le importara ser oído. Le contó que toda su vida había estado yendo a aquel puerto. Paseaba con su madre todas las tardes, desde niño, desde los tiempos en que los puestos no eran de gofres ni helados Häagen-Dazs, sino de altramuces y paloduz. La rutina se mantuvo hasta que, como tantos otros, había tenido que marcharse de la ciudad.

–¿Por qué ha vuelto entonces?

–Quién sabe. Quizá para encontrarme con usted –sonrió torcidamente.

Tejada sonrió también. Entre ellos se hizo un breve silencio.

–Ella fue la única mujer de mi vida –suspiró–. Comprenderá que en mis circunstancias –se señaló las piernas desiguales– no me han sobrado las mujeres. Todas las que conseguí fue a costa de abrir la cartera.

Su madre también tenía fuertes dolores de cadera, explicó, y problemas en las piernas. Los dos se asfixiaban al caminar, pero el aire del puerto les sentaba bien. Miraban el atardecer desde ese mismo sitio.

–Ella jamás se avergonzó de mi cojera.

213

–¿Entiendo que ella ya no está... entre nosotros?

El hombre prosiguió como si no le hubiera oído.

–Soy funcionario del Estado. Registro y archivo documentos, estampo sellos aquí y allá todo el día. Llevo haciendo lo mismo desde hace veinte años. Un trabajo condenado a desaparecer, claro. Si lo mantienen es sólo para gente como yo, para anormales. Consiguen subvenciones por contratarme. Pero soy tan prescindible que pueden moverme a su antojo, de un lado a otro, como una muñequita que se pone de adorno. Una muñequita fea, claro está –rió–. Cuando las cosas empezaron a complicarse, me forzaron a pedir un traslado a Cárdenas. Mi madre murió en medio de los preparativos. Estaba sola cuando el infarto le reventó el corazón. Dicen que fue algo rápido, que se durmió como un gorrioncillo, como el *little sparrow* de Simon and Garfunkel que tantas veces escuchábamos juntos. ¿Recuerda? *Who will love a little sparrow...?*

El hombre entonó una melodía desafinada, entornando los ojos y moviendo la cabeza hacia un lado. Tejada se sintió avergonzado.

–Bueno, ¿quiere que le ayude a buscar a su perro? ¿Sí o no? –preguntó el hombre al terminar, levantándose–. No debería haberlo abandonado. Que haya vuelto por él ya es algo, pero no debería haberlo abandonado.

Tejada se puso en pie y lo acompañó en silencio, mirándolo de reojo. Cojeaba balanceando el cuerpo a cada paso; erguido parecía incluso más pequeño que sentado. Tenía aparcado un Audi un poco más allá, un modelo antiguo y no muy bien cuidado que habían adaptado para que el espacio entre el sillón y el volante se ajustara al tamaño de sus piernas. Tejada se montó a su lado y el hombre condujo en silencio hasta Bocamanga. Se detuvieron junto a la plaza. Tejada bajó mientras él esperaba dentro fumando con delectación un purito. Sólo por su manera de fumar –el brazo apoyado en la ventanilla, los labios redondos, curvos– Tejada sospechó que gran parte de la historia del enano era mentira. Otro farsante más en la ciudad de los farsantes, pensó.

La plaza de Bocamanga estaba desierta. A lo lejos distinguió la figura de un perro negro bastante más pequeño que Tifón. El animal corrió despavorido sin motivo aparente. Llamó a Tifón varias veces; silbó otras tantas. Derrotado, volvió al coche.

–No está por ningún lado.

–Entonces se condenará –contestó el otro con una sonrisa maliciosa–. Ya le dije que no debió abandonarlo.

Tejada no se molestó en excusarse. Le vencía el cansancio. En el camino de vuelta se adormiló casi sin darse cuenta. Entonces el coche dio un frenazo.

–Mire –dijo el hombre.

Delante del coche, en medio de la carretera, estaba Tifón, mirándolos con una tranquilidad pasmosa.

–Parece que quisiera suicidarse.

–Pues no lo hará –dijo Tejada. Se bajó del vehículo y se dirigió hacia el perro.

Tifón le lamió una mano y ondeó el rabo como si lo reconociese desde la otra vida. Bueno, bueno, bue-

215

no, aquí estás, le susurró. Lo tomó entre sus brazos y lo llevó hasta el coche con el pecho encogido. Se sorprendió de lo poco que pesaba. Era como una bolsa llena de huesos ligeros o de pequeñas astillas de madera.

—Ahora complete la faena y llévenos hasta la residencia New Life. Está un poco más allá de Nuevo Vado, a unos veinticinco kilómetros de aquí.

El hombre lo miró sin soltar las manos del volante.

—Por la gloria de su difunta madre, llévenos hasta allí.

—Hoy ha querido Dios que salve a un hombre —contestó él al fin con una mueca—. Suba.

Las dos ancianas curvaban sus caderas con parsimonia. Un poco más atrás, un vejete sin camiseta intentaba seguir el ritmo sin demasiado éxito. *Vaaaaamos, vaaaaamos, somos los dueños del muuuuundo,* los jaleaba la *maup.* Eran sus últimos alumnos y no mostraban ningún entusiasmo por la clase. De fondo, música de Shakira, un enorme gato sin castrar a la búsqueda de ratones, las hamacas desvencijadas y la Clueca girando las ruedas de su silla, avanzando entre sudores a través de los parterres. Tejada salió del edificio. Miró a la monitora por detrás, sus glúteos apretados bajo las mallas de lycra, los gemelos endurecidos. La Clueca lo imprecó de lejos, bajo el sol despiadado. Los insultos se calcinaron en el aire.

—Discúlpeme un momento —interrumpió Tejada acercándose. La *maup* se volvió y le sonrió con amplitud—. Tengo que pedirle un favor importantísimo.

216

–Usted dirá –dijo ella balanceándose.

Aquella mujer que parecía fabricada de plástico y de caucho era la única en toda la residencia que mostraba cierta veneración a la figura del jefe. Cada movimiento en ella, por leve que fuese, estaba cargado de toneladas de coqueteo. Quizá pensaba que Tejada era un gran hombre con una gran misión. Ella misma, pensó él, se comportaba como si estuviese desempeñando una gran misión. Poco importaba la decepcionante vista de sus tres alumnos octogenarios. Ella estaba en el mundo para arreglarlo, para intentar que fuese maravilloso, saludable e higiénico. Parpadeó con intensidad mientras esperaba la respuesta de Tejada.

Los siguientes diez días la mujer del kimono y él los pasaron de arriba abajo, durmiendo cada vez en sitios distintos, como un par de fugitivos o de refugiados de guerra enamorados pero sin amor. La mujer asumió el papel con entusiasmo, mientras Tejada se dejaba llevar con indolencia. No sabían lo que pensaba el otro del asunto. Apenas hablaban. Él hubiera podido quedarse en cualquiera de las habitaciones vacías de New Life; podría incluso habérsela llevado allí sin que nadie se fijase en la intrusa. Pero estaba la agonía de Vado, la irrefrenable y hermosa agonía de aquella ciudad que había sido poderosa en otro tiempo. La mujer no quería irse de allí. Parecía morbosamente dispuesta a morir con las calles, las tiendas, los hoteles y los teatros. Tejada se dijo que lo suyo no era resistencia: era complacencia.

217

Él pasaba el día en New Life e ignoraba qué hacía ella mientras tanto. Cuando regresaba por la noche –ya sin parada en Bocamanga–, la mujer lo esperaba en la estación y lo conducía a su nuevo alojamiento. En la calle no usaba el kimono, sino una colección de vestidos que Tejada no le había visto antes, anticuados modelos con anchos cinturones que ceñían su cintura, abombados y rimbombantes, con grandes cuellos redondos y mangas de farol; vestidos verdes, rojos y azules, estampados y lisos. Caminar con ella y escuchar el taconeo de sus zapatos baratos era como hundirse en el fango, justo lo que él estaba buscando antes de irse. Comprendió que aquella mujer era como él.

Los primeros días no se fueron muy lejos. Cruzaron la avenida con sus bultos a cuestas y se metieron directamente en la Torre Grady. Un atrayente cambio de perspectiva, pensó. Para entonces, ya no estaba allí el portero, que había dejado abandonadas en su mesa un par de revistas de coches deportivos y de mujeres con grandes tetas y minúsculas braguitas de látex. En un cajón encontraron la radiografía de una mano. Uno de los dedos estaba curvado, como si señalase hacia las afueras de la imagen. En la base de la radiografía podía leerse la fecha de realización: tenía más de dos años, pero no podía saberse si pertenecía a una mano de hombre o de mujer, de una persona blanca o negra, anciana o joven. Tejada la guardó para sí.

Fue él quien insistió en que llegaran hasta la planta diecisiete. Una altura adecuada para disfrutar de una buena vista, afirmó tamborileando con los dedos sobre la mesa del portero. Podía tomárselo con calma, le dijo mirando sus zapatos de tacón, no había ninguna prisa. Igual ella podía quedarse más abajo si lo prefería. La mujer negó con la cabeza.

Subieron jadeantes. Ella se sentó a descansar en la planta once. La luz que entraba por el hueco de la escalera era de un tono sepia y polvoriento, como de foto antigua. Al filtrarse, formaba anchos haces en los que se ondulaban motas de polvo en suspensión. Tejada removió el polvo con las manos. Recordó que Elena le había dicho una vez que ahí también estaban las escamas de nuestra piel. Nos descamamos y nos quedamos suspendidos en el aire, pensó. ¿Y después? ¿Cómo se recompone uno después? ¿Es posible dar vuelta atrás al tiempo para integrar lo que fue desintegrado? ¿Cómo se recompone un perro que se mata?

El largo pasillo de la planta diecisiete estaba como las otras veces, desierto y sucio, aunque era evidente que allí ya no vivía nadie. Algunas puertas estaban abiertas; otras daban la impresión de haber sido forzadas no hacía mucho. Entró en las dependencias de la OSUPEA y se detuvo a curiosear entre las estanterías. La ventana estaba abierta de par en par, la papelera se había volcado dejando desperdigados por el suelo papeles rotos y latas de refrescos vacías. Se sentó en la mesa donde antes se había sentado el funcionario de la voz aflautada y vio informes diversos sobre asuntos disparatados que parecían haber sido redactados por un loco. Alguien había robado el ordenador, pero el teclado permanecía en la mesa, con su cable colgando huérfano hacia un lado. También pudo ver una anotación a bolígrafo en su agenda de mesa:

219

Francisco Tejada, residencia New Life, llamar mañana.
Nunca había llegado a llamarlo.

–¿Qué haces ahí? –le interrumpió la mujer. Se había quitado los zapatos y los había atado sobre la maleta. Recortada en la puerta le pareció una dama de un cuadro de Grosz.

–Nada.

–Aquí no podemos quedarnos –suspiró ella–. Deberíamos buscar algún apartamento que tenga cama.

–Lo sé.

–Además, este lugar no es seguro.

–Ninguno lo es.

Tejada la condujo hasta el apartamento de las dos mujeres. Los armarios estaban vacíos, pero las camas estaban hechas y en la diminuta cocina americana aún quedaban algunos alimentos: latas de atún, de berberechos y de fabada. El apartamento no parecía abandonado; más bien era como si lo hubiesen dejado por una temporada para tomar unas vacaciones de las que sus dueñas regresarían tarde o temprano. La mujer se sentó aliviada en un sillón. Tejada la miró, ovillada sobre sus pies desnudos, y sintió que aquello suponía una oscura profanación.

–Merecía la pena subir –dijo ella alzando la nariz como si olfatease–. Esto es confortable.

Pero él ya no la escuchaba. Asomado a la ventana, de espaldas al sillón, miraba hacia el Madison Lenox, una mole arcaica, oscura, respetable, mucho más baja y pesada que la Torre, que se alzaba con la insólita fragilidad de los dictadores que están a punto de ser derrocados. Desde allí se distinguía la azotea y todas sus antenas; las habitaciones quedaban bastante más abajo. Cuando localizó el balconcillo de la que había sido su *suite* se sintió investido de un extraño poder: el de ser capaz de mirarse desde fuera. El viento caliente arremolinó sus escasos cabellos y le entró por los ojos cargado de las escamas de aquellos otros seres que quizá le habían estado observando todo el tiempo, y que ahora ya no estaban. Entonces se vio a sí mismo enfrente, en el Madison Lenox, fantasmal, aferrado a la barandilla como una rapaz a su roca, desnudo y solo, mirando hacia la Torre con ansiedad y sin futuro.

Ariché sacaba la ropa de la secadora y la doblaba en un carrito con apresuramiento. Fingió no ver que Tejada se acercaba, hasta que él se plantó delante y le preguntó a bocajarro a qué estaba esperando para huir. Ya se habían ido todos, dijo: los liberales y los conservadores, los ricos y los pobres, los razonables y los locos.

—Yo no me iré mientras nos queden viejos —le cortó ella—. No pretenderá que los deje abandonados.

—Sus familias lo hicieron.

Ella prosiguió su trabajo sin levantar la cabeza. Olía a lavanda, a pino, una fragancia artificial que saturaba insanamente el olfato.

—¿Y tú? ¿Hasta cuándo te vas a quedar?

Era la primera vez que lo tuteaba y él no supo qué contestar. Se apoyó en una lavadora y reflexionó.

Era cierto que también estaba asediado por la inminencia del fin, pero no era tan fácil trasladar esa sensación resbaladiza a un acto tan práctico como agarrar una maleta –su única maleta– e irse. Recordó la amenaza del funcionario de la OSUPEA. Quizá, aunque quisiera, no podría marcharse.

–Imagino que los viejos te dan igual –continuó ella, provocativa.

–Bueno, después de todo tampoco ellos parecen apreciarme demasiado.

–Tienen sus razones.

Tejada sabía que ella lo odiaba, pero de pronto necesitó más odio, quiso llegar hasta el fondo del odio. Una colcha goteaba sobre las zapatillas de Ariché. Una cadencia densa, inútil, que empapaba sus pies sin que ella se diera cuenta. Podían oírse sus respiraciones: la de ella agitada y veloz; la de él pesada, rítmica.

–Quiero contarte algo.

–No quiero oírlo.

–Lo oirás de todos modos. Te ataré, te amordazaré si es preciso. Es necesario que sepas quién soy.

–No quiero saber quién eres.

Él se acercó y la tomó de las muñecas. Ella se resistió, torció los brazos, se zafó de él con una maldición. Intentó abofetearlo, pero Tejada la esquivó. Ganársela para después perderla, pensó, y la dejó marchar.

En la Torre Grady pasaron tres noches. La ventana hipnotizaba a Tejada, pasaba horas y horas delante, mirando la ciudad derretida. La mujer dormitaba casi todo el tiempo. Agotaron toda la comida, durmieron separados, no vieron a nadie más por el bloque. Tejada se marchaba temprano. Bajaba las escaleras a oscuras, con cuidado. Aun así, se cayó dos veces. Vio que la mujer tenía una rozadura en la rodilla y un moratón en el brazo; probablemente también había resbalado, o quizá sus magulladuras se debían a cualquier otra cosa. No le preguntó. No le interesaba.

La tercera noche el grifo de la cocina lanzó un último estertor y cuatro gotas densas y parduscas brotaron con esfuerzo.

–Han cortado el agua –dijo ella.

–Buscaremos otro sitio mañana.

La noche en New Life traía un bisbiseo de mosquitos chocando contra los cristales. A pesar del calor, Ariché se cubrió hasta arriba con la colcha. Su celdita de monja, pensó. Miró las cuatro paredes, las fotos colgadas en un panel de corcho, el escueto mobiliario de aglomerado, y sintió que un temblor extraño le recorría las piernas y los brazos. A lo lejos se oían las risas de la Clueca rebotando por los pasillos vacíos. El resto era silencio. Poco a poco, fue cayendo dormida.

Dos horas más tarde abrió los ojos sin mover el cuerpo. Los abrió de súbito, sin parpadeos, con las pupilas engrandecidas, en alerta. Alguien la había llamado. Alguien había susurrado su nombre en el vacío. *Ariché*. No se incorporó. Miró alrededor, girando lentamente las órbitas de sus enormes ojos asustados.

Sintió el golpe de un precipicio en el pecho. Dos ojos se revelaban en la esquina de la habitación, brillando entre las sombras. Dos ojos que la diseccionaban como a un animal abierto en canal. Dos ojos enrojecidos, inflamados, inhumanos. Los ojos de Catalino Fernández. Dio un grito. La imagen se difuminó y la oscuridad volvió a ser completa.

Las posibilidades comenzaron a reducirse. Se hizo más difícil encontrar edificios con agua y luz. Tejada delegó en ella la búsqueda. Me conformaré con lo que encuentres, le dijo mordisqueándose las uñas. La mujer asintió adelantando un poco sus pequeños dientes romos. Asumía los dictados de Tejada con agrado. De hecho, parecía más feliz que en sus días de recepcionista. Se peinaba como si protagonizara una película ambientada en un Berlín en ruinas, con leves ondas sobre la frente y un gorrito de hilo que le recogía las orejas, y caminaba con pasos cortos, apresurados, embutida en sus obsoletos trajes de *lady* en lucha por la supervivencia tras la guerra.

De la Torre Grady fueron hasta el Hostal Gloria, dos estrellas, cuyas habitaciones se mantenían razonablemente limpias. En un minibar encontraron algunas latas de cerveza y dos pares de sándwiches comestibles. De momento no habían cortado la electricidad. La mujer se enchufó a su cinturón vibratorio durante horas mientras Tejada se tumbaba a mirar la radiografía de la mano desconocida. Había cierta placidez en el lugar. Sin embargo, de madrugada, su estéril batalla ama-

224

toria se vio interrumpida por el escándalo de un grupo de borrachos que entraron a saquear el hostal. Desde aquel día, por precaución, tomaron la decisión de no dormir más de dos noches seguidas en el mismo sitio.

Su ruta prosiguió por un bloque de pisos de los años sesenta con turbadoras vistas de la ciudad, un centro de belleza y cirugía estética –durmieron en camillas–, una enorme casa de dos plantas que debía de haber pertenecido al embajador de Japón –puro *feng shui*– y los apartamentos Doda3, un conjunto de diminutas viviendas –no más de quince metros cuadrados– que habían sido diseñadas por un estudio de arquitectura sueco al que Tejada, nada más entrar en los apartamentos, calificó de timador.

Uno de aquellos días, de camino al alojamiento de turno, encontraron al camarero del Esturión tumbado sobre un banco del parque. Estaba tapado con una manta roñosa y temblaba de pies a cabeza. Los agujeros de la nariz se le habían dilatado, como les sucede a los cadáveres. No los reconoció cuando se acercaron.

–Déjenme en paz –dijo dándoles la espalda–. Lo único que pido es que nadie me moleste.

Aquellos jardines, con las fuentes secas y los macizos de arbustos renegridos, también estaban plagados de perros. Los toboganes habían sido tomados por palomas enfermas. Las farolas no funcionaban y la luz brillaba con matices lúgubres que a Tejada le hicieron pensar en un escenario posnuclear. Se agachó junto al camarero.

–Yo era su cliente en el Esturión, ¿recuerda?

–¿El Esturión? –El hombre pareció animarse. Se

225

sentó y los miró a ambos. Su rostro parecía una hoja seca a punto de quebrarse.

Atropelladamente, les contó que el Esturión tenía una orden de demolición inmediata. La tienda que había al lado, una franquicia de móviles y accesorios, se había incendiado dejando bajo las llamas radiaciones *peligrosísimas*. Ésa era la excusa, claro. Había otros *motivos*. Sus palabras le recordaron a Tejada las de Benmoussa: asustadas, visionarias, apasionadas, incisivas. Movía los ojos como él, girándolos en sus cuencas como si se retorciesen. La diferencia era que él no podía huir. Si derruían el Esturión lo derruirían a él.

−¿Quiere venir con nosotros? −le preguntó la mujer en voz baja−. No debería estar solo.

El camarero la miró con desdén. Su afilada nariz tembló de ira.

−¿Adónde, señora? Prefiero morirme aquí.

Tejada le dio la razón. Mejor morir así, dijo, es un tipo más listo que nosotros. La mujer lo miró con estupor. Se había pintado los labios de rojo sangre y los párpados de gris antracita; el efecto de máscara se acentuó al contraer el maquillaje. Tejada echó a andar dejando al camarero hundido en su banco. Ella lo siguió a dos metros de distancia, taconeando con tristeza entre las palomas.

No siempre he sido así. Hubo un tiempo en que fui dulce y delicado, y mi cuerpo era suave y flexible, y no me olía el aliento por las mañanas, y no se me descomponía el vientre con cualquier cosa. Mi vida familiar, mi infancia, esos primeros años, fueron absolutamente normales. Mi madre bebía, quizá más de lo normal, pero eso era asunto suyo, nada que me concerniese a mí. Mi padre era comercial de una marca de cafeteras y cada vez que viajaba le traía botellas de los licores típicos de aquí y de allá. No recuerdo ni una sola bronca entre ellos. Tuve lo que diríamos una infancia feliz, modélica, ejemplarizante.

Así es que mis orígenes son normales, de una vulgaridad espantosa. Crecí, me salieron granos y pelos por todos lados, conocí a chicas, me fui a la ciudad a estudiar, las cosas salieron bien y conseguí una beca para la facultad de Medicina; de ahí a la especialidad y a una exitosa carrera como investigador en el campo de la geriatría; me casé y me divorcié; tuve una hija. Casi sin darme cuenta, ya ves, y ya estaba completamente convertido en un hijo de puta. Uno prospera al tiempo que se pudre.

Sí, todo es triste. No queda nadie de mi tiempo, quiero decir. Uno siente la necesidad de ir explicándose continuamente, porque se perdió esa identidad de los hombres como yo, los que nacieron en un tiempo como el mío. Solitarios y orgullosos, así éramos. Cualquiera se preguntaría qué hace un hombre así viniendo a Vado. Es curioso: el primero que quiso saberlo fue el mismísimo Catalino Fernández. Y después el doctor Carvajal, y tras él Benmoussa, y tú, y todo el mundo con el que me he ido encontrando en esta ciudad. Comprenderás entonces que haya tenido que repetir hasta la saciedad mi viejo chiste: soy un gran hombre con una gran misión, he venido hasta aquí para libraros de la catástrofe, os sacaré de los escombros entre mis propios brazos si es preciso, etc. Basura. Me divierte hacer eso. Ahora que lo pienso, es lo único que me divierte.

Por lo demás, se trata de alcanzar la alienación total. La habitación de Pascal y todo eso, ya me entiendes. Me gustan los finales dilatados. Me gusta ver cómo agonizan las cosas. Para venir aquí ni siquiera tuve que renunciar a mi puesto en la universidad. Ya me habían expulsado, ¿comprendes? Antes de indagar en los detalles, la sociedad ya le pone la soga al cuello a los violentos. Aunque habría que preguntarse qué entienden por violencia. Confunden el impulso con el resultado. Quizá es un veneno destilado en las venas. Incluso hasta una viejita como la Clueca puede ser más violenta que yo. Casi me mata, la vieja, y mírala cómo sigue ahí, recolectando la compasión que a mí me niegan.

Lo que yo hice fue bastante poco. Fue bastante menos, y desde entonces he hecho todo lo posible para expiarlo. Incluso le he buscado un hogar a ese galgo pulgoso que traje el otro día. Créeme, es más que una obra de caridad: se lo di a la maciza de la *maup,* le pedí que me lo cuidara por un tiempo y le prometí que pagaría todos los gastos del veterinario. Perro por perro. Disparé al perro de Elena y ahora salvo al perro de la niña con la madre de goma.

Pero no me malinterpretes: no estoy arrepentido. Contraté a Negroni para que extorsionara a Elena y a Chico Quinto para que sobornara a su abogado. Manejo mis influencias. A ti no tendría por qué mentirte. Ya ves, intento ser imparcial, aséptico, contarlo todo sin justificaciones ni atenuantes. De modo que quiero que quede claro que cuando hablo de expiar a lo que me refiero es a...

Abrió los ojos. La mujer del kimono estaba acostada a su lado, destapada, sudorosa, con el pelo echado sobre su hombro. Tejada se levantó y se asomó a la ventana del diminuto apartamento de madera. Qué estupidez, se dijo, Doda3. Ni siquiera un nombre normal para aquellas cajitas de zapatos: incitación al divorcio, al asesinato y a la locura, arquitectura de la claustrofobia.

Todavía era noche cerrada. Desde aquella perspectiva, las cosas parecían casi normales. La ventana pegada al suelo ofrecía una visión limitada de la realidad. No se veían las ruinas, ni el cielo calcinado, ni la ausencia de luces. Sólo una estrecha calle con farolas y los otros apartamentos situados ordenadamente en una hilera. Un día en cada uno, había dicho la mujer. Hasta que yo me canse, se había prometido Tejada a sí mismo. No iba a tener ningún reparo en abandonarla; no era su problema si ella podía o no valerse por sí sola. De hecho, se mudaría a New Life al día siguiente. Estaba cansado de aquella vida errante. Se iría allí y quizá moriría allí.

Suspiró intentando retener la imagen de Ariché tal como se le había presentado en su sueño. La enfermera estaba ahí, escuchando su confesión con los labios ligeramente entreabiertos y un gesto desdeñoso concentrado en los pliegues de la frente. Era una Ariché-Elena. Era Ariché con los rasgos de Elena. Y él se complacía en ser especialmente petulante con ella. Pero su monólogo se había interrumpido a la mitad y él se había quedado sin saber su reacción. Se dijo que en la vida siempre es así: las cosas nunca se completan.

La mujer del kimono murmuró algo, medio dormida. Tejada sintió deseos de marcharse de inmediato, pero se recostó a su lado e intentó retomar el sueño justo por donde lo había dejado interrumpido.

La pereza es el refugio de los cobardes, recordaba Tejada estirado sobre la cama. El determinismo es el refugio de los cobardes. La pereza es el lugar de los solitarios.

Hacía un calor más áspero, quizá más llevadero. Se volteó y buscó el lado fresco de la almohada. Detuvo su fraseo. Elena. El arrepentimiento que no llegaba, o que llegaba adulterado. Elena. Un rumor como de lluvia, pero sin lluvia. La verja chirrió, como si acaso alguien pudiese entrar o salir a aquellas horas. Se oyeron unos pasos desmañados que cruzaban el porche. Quizá no eran pasos, sino un montón de hojas crepitando. Hojas secas, crujientes, acumuladas por los rincones. Una gata pariendo sobre ellas. Gatos, hojas, montañas de hojas amarillas y podridas. Crepitaciones, ritmos, ondulaciones. Una pereza perpetua en el lugar de los solitarios. Algo está pasando, le susurró una voz. Tejada despertó del todo: algo estaba pasando. No voy a dormir más, se dijo. No voy a dormir más en esta cama geriátrica. Cama de enfermo, de viejo, de muerto. Se levantó y se frotó los ojos. Calor. Fuego. Fuego. Olor a fuego.

Se asomó a la ventana. La noche era como un manto echado sobre el jardín, un manto anaranjado y hermoso. New Life, nueva vida, su antigua nueva vida. New Life, su habitación de anciano, el hombro roto, Ariché a su costado, Ariché-Elena mientras lo odia, Elena-Niña mientras lo ama. Tenía demasiado sueño encima, demasiado dolor a sus espaldas. En Doda3 olía distinto. La mujer del kimono estaría sola esa noche, sin haber recibido explicaciones. Quizá ni siquiera notaría su ausencia. Allí olía a mojado; allí se estaba bien. Pero aquí a pan tostado, papel tostado, madera tostada, mierda tostada, animales tostados, aire tostado. Tejada olfateó con parsimonia. Sacó la cabeza por la ventana y siguió olfateando. Vio dos ratas que corrían despavoridas, cada una en una dirección distinta. Un olor distinto. Una luz distinta. Reverberaciones en el cielo, reflejos, destellos, pirotecnia de despedida. Gritó algo hacia el vacío pero el viento no movió sus palabras. Las dejó allí, suspendidas, levitando, pesadas, reconcomiéndose por los bordes, plegándose a medida que se iban convirtiendo en ceniza.

La inflamación venía de abajo.

Se puso el pantalón. Antes de coger la camisa ya supo que debía huir enseguida, puro instinto, como habían hecho aquellas dos ratas en peligro. Corrió descalzo por el pasillo, la camisa bajo el brazo, sin cruzarse con nadie. En la otra ala del edificio oyó gritos. Ninguna alarma. Corrió como un conejo por el sendero de grava. Varias siluetas daban vueltas y vueltas como si aún pudiesen hallar escapatoria. Le pareció ver la sombra de la Clueca en su silla de ruedas, la de Ariché con los brazos en alto, la de un hombre que se daba cabezazos contra las rejas. Las llamas salían por las ventanas de la planta baja y lamían las paredes del edificio. Sobre ellas, el humo insondable, oscuro, profundamente silencioso.

El lugar de los solitarios. Tejada ni siquiera sabía cómo pedir ayuda, dónde ni a quién. Permaneció mirando el edificio. Otro grito más fuerte rasgó el aire. Un aura sangrienta sobre el cielo. Resplandores rojizos, nubes teñidas de gris. Llamaradas creciendo, con sus rebordes azules y rosados. Un baile de colores del espanto. El humo se retorcía sobre sí mismo formando anchas columnas salomónicas.

La residencia ardía.

Dónde estaban los otros. El vello de los brazos y del pecho se le había electrizado. Le inundó la fragancia de la madera chamuscada. El porche se desmoronó. Dónde se han metido. Dónde. Las llamas devoraban el porche con un hambre de siglos. Vuelta al fuego. Retorno a la ceniza. Las llamas del exterior no llegaban a tocarse con las del interior. Todas se elevaban adelgazándose hacia las estrellas que ya no brillaban. Un fogonazo reveló su sombra vacilante sobre el suelo. A sus espaldas, un nuevo resplandor. La reverberación del tercer foco, atrás, junto a los pequeños olivos de la huerta y la piscina vacía. Ya no hubo más gritos. Un absoluto silencio. Lejano, doloroso.

Dónde se han metido.

Después el ulular de un camión de bomberos. Dos, tres camiones de bomberos. Los hombres saltando con sus uniformes y sus cascos, como figuras de ficción haciendo su trabajo comedidamente, su papel en la escena. Para entonces, el edificio ardía hasta la tercera planta. De los lados caían cascotes ardientes. Bolas de fuego precipitándose por todos sitios. La piel del edificio descamada. El edificio en carnes, abierto, las ventanas iluminadas desde el interior por llamas que ondeaban hasta el techo. Banderas de fuego. El terrible bufido de un gato. Los bomberos trabajaban en silencio. Uno de ellos le dijo algo a otro al oído y ambos rieron sin disimulo. Ninguno entró en el edificio. Contemplaban el espectáculo con las manos cruzadas tras la espalda. Era ya demasiado tarde; por algunas zonas ya sólo se distinguía un esqueleto, muros y vigas que también terminaban desplomándose. Alguien se acercó a Tejada.

−¿Cómo consiguió salir? Ha tenido suerte. Es usted el único.

Tejada no contestó. No miró a quien le hablaba. Observaba a los bomberos trabajando con sus mangueras insignificantes. Le pareció absurdo combatir la inmensidad del fuego con esos chorros de agua tan delgados. Tembló agarrado a la camisa que aún no había logrado ponerse. El parpadeo silencioso de las sirenas dando vueltas. Se sintió como un figurante de una película de cine mudo.

Tampoco él debía hablar.

El agente de policía bajó el volumen de la radio, pero en el coche permaneció el rumor de las voces enflaquecidas de los locutores y los *jingles* de bienvenida de la cadena. Buenos días, parecían decir aquellos sonidos, cómo va la mañana: un saludo inocente, como si nada excepcional hubiese sucedido aquella noche. En el asiento trasero, Tejada apoyaba la cabeza sobre el cristal. Se sentía mareado, algo insistente y cruel le estaba golpeando las paredes del cráneo. El paisaje se deshilvanaba ante sus ojos, descomponiéndose en fragmentos sin unidad ni sentido: solares, adelfas, grúas, señales de tráfico, gasolineras, la línea de unos bloques de pisos a lo lejos. Los dos policías comentaban algo entre susurros. Tejada no se esforzaba por comprender. Usted no es sospechoso, le habían dicho al montar, no tiene por qué preocuparse, le llevaremos a su casa. Le habían dado una manta y una botella de agua. Por primera vez en mucho tiempo, Tejada tenía frío.

Antes de salir, había contado lo poco que sabía. Habría unas siete u ocho personas dentro. No oyó ningún ruido extraño. Quizá el chirrido de la verja, pero podía estar soñando. No, nunca, no hubo ningún problema, salvo el despido reciente de un enfermero alcohólico, alguien conflictivo pero más bien insignificante. Los residentes hablaban de un saqueo en la capilla, pero eso había sido mucho antes de llegar él. Nada más digno de mencionarse.

Los agentes habían tomado notas desganados. Se detuvieron un poco más en la figura de Catalino. No hubiera podido acusarlos de irrespetuosos –se quita-

234

ron las gorras al final, en señal de duelo–, pero tampoco resultaron especialmente comunicativos.

–¿De verdad esto es algo tan rutinario? –quiso saber.

¿Incendios provocados? A montones. Que hubiese habido víctimas era algo más extraño. Probablemente el pirómano cometió un error de cálculo. Procuran atacar edificios vacíos, sentenció un bombero mayor, uno que parecía el jefe de todos los demás. A su alrededor, todos asintieron. Menos mal que eran viejos, masculló otro, tampoco les quedaría mucho más tiempo de vida. Tejada no mencionó a Ariché, ni al otro enfermero, ni a la cocinera. Ya habría tiempo de que los descubriesen por sí mismos. Él no era sospechoso. Simplemente tuvo suerte de estar en el lugar correcto. Fue rápido, fue intuitivo. Como los animales que mejor resisten, los rastreros, los sucios.

La autopista se coloreó con las luces del amanecer. La franja rojiza en el horizonte, esta vez, no se debía al fuego. Era el telón de Vado, enfrentándose al paso de un día más. Una triunfante entrada sin atascos, sin tráfico, sin viandantes. Él debía estar muerto, y sin embargo estaba allí. Volvió la cabeza para contemplar el río que se extendía a su derecha, con las aguas verdosas y densas y las barcas a la deriva. Después llegaron a las avenidas de la ciudad, desnudas como si todos sus habitantes hubiesen corrido a esconderse en búnkeres ante la previsión de un bombardeo. El coche serpenteó por las calles a gran velocidad, justo cuando ya no había ninguna prisa.

Lo dejaron en los apartamentos Doda3. Cuánta

amabilidad, dijo Tejada estrechando la mano a los agentes. Lo cierto es que no hubiese tenido otra forma de llegar. Sin dinero, sin zapatos, con el olor a chamuscado metido en las narices. Ellos le respondieron con una palmadita fraternal.

La mujer del kimono no dijo nada cuando lo oyó entrar. De espaldas, preparaba la cafetera con sus manos hinchadas.

–He vuelto –dijo él–. Ha pasado algo horrible.

Ella no rompió su mutismo. Cogió dos tazones y sirvió el café caliente, aguado pero gratamente oloroso.

–¿Me oyes? Tuvo que traerme la policía –insistió él sentándose.

La cama estaba deshecha, la colcha arrugada por el suelo. Entre los dos cruzaba una fregona y una mesa abatible. Los tablones de madera del suelo chirriaban incluso sin pisarse y olían a una humedad vieja. Ella arrimó más el taburete y apoyó su mejilla en el hombro de Tejada. Ambos se quedaron inmóviles hasta que llegó la hora de salir a buscar algo de comida.

Es el último tren. Si no es el último, será el penúltimo o el antepenúltimo. O uno de los diez últimos. Tarde o temprano también cortarán esa línea.

Camina a lo largo del andén. Camina cadenciosamente, sin maletas ni prisa. En una bolsa de plástico lleva lo mínimo para subsistir hasta Cárdenas: un par de bocadillos, un cepillo de dientes, ropa interior limpia que un hombre de su talla abandonó en uno de aquellos apartamentos-dedal. También el san Pancracio que cogió del taller de santos y la radiografía de la mano. La mujer del kimono le ha dejado el dinero del billete. Él le ha pedido que no vaya a despedirlo.

La luz entra a raudales por los cristales rotos. Tejada alza su cara y se deja bañar por el sol. Hace varios días que no se afeita. El sol crea destellos plateados sobre su barba. Corre la brisa. No el viento caliente de costumbre, no esas vaharadas como aliento de vaca que hacen que todo sea más lento y más pesado. Esta vez —aunque sólo sea por una vez, aunque sea la primera vez en mucho tiempo— se trata de brisa, de una ligera brisa delicada, desprovista de polvo y de pavesas.

Al final del andén hay un perro tumbado. No es un galgo, pero también está flaco y descarnado. Tejada le silba; el animal no levanta la cabeza. Quizá ya está muerto, piensa, pero después nota con alivio la respiración del animal en los movimientos del lomo. En medio de todo aquel silencio, se pregunta si de verdad llegará allí algún tren. No parece probable.

Y sin embargo llega. Tras dos horas sentado —se mira los elegantes zapatos heredados, las uñas sucias, los lunares de los antebrazos— siente el murmullo de aquel tren que se acerca y que lo sacará de Vado para siempre. Se levanta y espera con la mirada clavada en aquel punto. Una paloma ha enredado su pata en una bolsa. Se sacude y protesta. El tren aparece al fondo y se engrandece. Va haciéndose mayor, más fuerte, hasta que se detiene a su lado con un chirrido. La paloma, asustada, alza el vuelo torpemente con la bolsa todavía enmarañada entre las patas. Tejada

237

sube sin mirar hacia atrás ni un momento. Coloca su escueto equipaje en un asiento y mira hacia el fondo del pasillo. Sorprendentemente, un revisor se acerca con su gorra y su pequeña máquina registradora colgada en bandolera, como si se tratase de una mañana normal en un tren normal. Tejada se hunde en el asiento y se frota las manos en el pantalón.

Si hubiese vuelto la cabeza hacia la ventanilla, si hubiese echado una última mirada al andén, tal vez habría descubierto la sombra de la mujer del kimono, que lo observa oculta tras un panel publicitario. Se ha recogido el pelo y lleva un traje azul eléctrico sin mangas. Tiene los ojos tensos; quizá ha estado llorando, quizá no. La mujer mira cómo el tren se desvanece en la distancia y se convierte en un punto caliginoso. Se limita a estar allí, inmutable, con las dos manos posadas sobre el vientre. Se lo acaricia como si algo le doliera más allá del dolor o como si le complaciera más allá del placer. Se comunica con su vientre a través de las manos y lo que siente –ese movimiento interior, apaciguado– no es nada trascendente, sino tenue, pequeño y absolutamente real.

Corre la brisa.

No el viento caliente de costumbre, no esas vaharadas como aliento de vaca que hacen que todo sea más lento y más pesado. Esta vez, aunque sólo sea por una vez, se trata de brisa, de una ligera brisa delicada, desprovista de polvo y de pavesas.

ÍNDICE